JN125437

イギリスの社会的企業と地域再生

小磯 明 著

同時代社

はしがき

イギリスは、小選挙区制を基本とした議院内閣制、立憲君主制の島国であり、日本との共通性も多くを有している国です。明治以来、大きな影響を受けてきた国の一つでもあります。その意味で、イギリスで今何が起きているのかは、日本の混沌とした状況を整理する上で大いに役立つことが多いと考えます。そんな考えから、私は、2010年にロンドンのLSEでの学会発表以降、2012年の社会的企業の調査、2015年9月、10月、11月のイギリス調査を実施してきました。

1997年～2010年半ばまで政権を担当した労働党政府は、社会的に厳しい層の人々の就労支援や就学支援などの公共サービスにおけるPublic-Private Partnership政策の主たる担い手として「社会的企業」の強化を図る政策を掲げ、18年ぶりに政権の座に返り咲きました。この「サード・セクター（Third Sector)」推進政策は、旧来の労働党の福祉国家政策でもなく、サッチャリズムの市場化一辺倒の政策でもない、「第三の道」として有名です。通算14年に及ぶ政権期間全体を通しての「サード・セクター」政策の評価は、政権当初と政権末期では、その目的が大きく変化し一貫できなかったとの批判があります。しかし、その視座と方向性は、持続可能な未来への希望を見出そうとするならば、不可欠なヒントを示す先駆的で未来性に富む社会ヴィジョンだと考えます。

「サード・セクター（Third Sector)」推進政策は、第1に、議会制民主主義の母国といわれるイギリスの政府が、代議制民主主義政治だけでは社会の問題解決が不可能であることをオフィシャルに初めて認めたこと。第2に、複雑で多岐にわたる社会問題解決への主体を「社会的企業」として広く市民社会の中に求め、政府がその役割を果たすことを表明したこと。第3に、公共サービスにおけるPublic-Private Partnership政策の主たる担い手として社会的企業の強化を図り、そのプロセスを通して社会とコミュニティの再生主体を育てようという仮説を立て、その成否はともかく、実践したこと。

以上の３点から、その政策推進はイギリス社会とその政治におけるターニング・ポイントというべきものでした。現に、その後のイギリスの保守党・自由民主党連立政権も、「ビッグ・ソサエティ（Big Society）」政策の名の下に、政策目的に大きな差異はあるとはいえ、社会的企業推進政策を中心政策の一つとして堅持してみせなければなりませんでした。

私は、イギリスについては『イギリスの認知症国家戦略』（2017年）、『イギリスの医療制度改革』（2019年）といった２冊の著書を出版しております。本書は、イギリスに関する３冊目の著書となります。「社会的企業が意味することは何か」「イギリスで社会的企業と地域再生がどのような関係にあるか」を、多くの方が本書の事例の中から汲み取っていただければ著者として幸いです。

2020年６月　　小　磯　　明

目　次

Ⅱ イギリスの社会的企業と地域再生

図表・写真目次

第３章

第４章

第５章

第６章

補 章

（写真は、特に断りがない限り、現場で撮影許可を得て、筆者が撮影したものです。）

序　章　研究の目的と本書の概要

1.　研究の目的

2000年代以降、「社会的企業」の存在が注目されていることは論を俟ちません。第1章で述べるように、日本でも多くの論者が紹介し、研究を行っています。社会的企業の定義は論者によってさまざまですが、最大公約数的に「営利を目的とせずに社会的な課題にビジネスの手法を用いて取り組む事業体」（塚本一郎 2008：10）と捉える見解に特に異論はありません。

従来、社会問題の解決の主たる担い手は行政と考えられてきましたが、財政上の問題などを理由に消極的になる一方、営利を目的とする民間企業にとって、社会問題の解決を事業体の中心に据えることは本来的に難しいものがあります。社会的企業は、この間隙を埋めるように台頭してきた存在とされています。

「社会的企業」という存在は、ヨーロッパ各国とアメリカで独特の違いがあり、具体的な事例に触れる場合は、どの立場の定義を利用するのか、どの国を紹介するのか、これらを明らかにして論じる必要があります。この点については、本書ではヨーロッパでの中心的な解釈を、そしてイギリスを取り上げることとします。その理由は、社会的企業の研究や育成に関する施策において、イギリスに豊富な事例がみられるからです。

そのイギリスにおいて、社会的企業と密接不可分な関係にある言葉が「地域再生」です。事実、社会的企業側も自らの活動が、地域コミュニティの社会経済的な再生に重要な役割を占めていると認識しています（Peattie and Morley 2008：40-41）。日本でも、地域コミュニティの再生や地域における雇用創出に社会的企業の活力を活かそうとする研究はあります（坂本忠次 2010）。しかし、「地域再生」については、イギリスの定義と微妙な差異を含んでいることも事実です。この差異を踏まえた上で、イギリスの社会的企業と地域再生の関係性から、日本ではどのような示唆を得ることができるかを検討することが、本研究の目的です。

2. 視察調査の概要

本研究の基礎となる視察調査は、非営利・協同総合研究所いのちとくらしが、2015年10月31日～11月8日までの9日間の日程で主催した「イギリスの医療・福祉と社会的企業の視察と調査」です。到着した10月31日に、(ユニヴァーシティ・カレッジ・ロンドン(University College London, UCL)の老年精神医学教授(Professor of Old Age Psychiatry)のハワード,ロバート(Howard, Robert)氏とロンドン大学キングスカレッジ(King's College of LONDN)・リサーチフェローの林真由美先生のもと、ハワード教授のインタビューを行いました[1)]。

その後の主な視察先を紹介すると、11月2日は、アカウント3を訪問しました。アカウント3は、女性支援の社会的企業です。1991年に、移民の多いロンドンのタワーハムレッツ自治区に、3人の会計士を中心につくられた「女性による雇用の創出」と「女性の自立」を目指す社会的企業です。その後、東ロンドン散策としてリバプールストリート、トインビー・ホールなどを視察しました。3日は、ストーンズ・エンド・デイセンター(Age UK Lewisham and Southwark)高齢者デイセンターを訪問しました。はじめは自治体のオープン・デイセンターでしたが、2004年にAge UK(かつてはエイジコンサーン。Age UKは2009年からのようでした)が引き継いだと言います。新たに利用できるのは自治体が認定した人のみで、2011年に予算が削減されて経営が厳しくなったと言います。昼は、ガイス&聖トマスNHS-FT(Guy's and St. Thomas NHS Foundation Trust)を訪問し、Patient and Public Engagement Strategy Seminarを受けました。ここでは主にNHS-FTのパブリックエンゲージメント(法律や協定などによる地域に対する義務・責任・役割)について説明を受けました。医療の質のクレーム処理など種々の患者・ステークホルダー関係などの説明責任について等でした[2)]。その後、サウス・ロンドン＆モーンズリー病院（South London and Maudsley NHS-FT）へと移動して、説明を受けました[3)]。この病院は精神科、とくに認知症の取り組みで有名な病院でロンドン南部を診療圏とし、在宅ケアなどの取り組みを行っています。以上がロンドンにおける視察調査でした。その夜にニューカッスルに移動しました。

11月4日はニューカッスルで、まずGentoo（Extra Housing Care）は、サンダーランドで低家賃の建設、賃貸、住宅の改修などを進める労働者協同組合です。サンダーランド最大の大家になっていると言います。2001年に設立されて、7万戸のテナントを有します。

午後は、サンダーランド市民病院トラスト（Sunderland City Hospital & Colleagues）を訪問しました。NHS North East Academyのスペンサー，クライブ（Spencer , Clive（Director））氏からNHSの説明を受けました。次に、CEOのブレムナー，ケン（Bremner, Ken（Chief Executive））氏からサンダーランド市民病院トラストの説明を受けました。その後直ぐに、サンダーランド市民病院内の視察でラウンドしました[4)]。5日午前中は、コミュニティ・トランスポートでフラワーミル（Flower Mill Social Enterprise：障害者就労支援、ガーデニング）を訪問し、概要説明と施設を案内されました。その後、ボックス・ユース・プロジェクト（Box Youth Project：若者の生活と教育支援の社会的企業）で説明を受け、施設を見学しました。午後は、ニューカッスルへ戻り、スペース2（Space2）を視察しました。スペース2はYMCA（Young Men's Christian Association）運営で子ども、若者の支援を行っていました。午後は、診療所（Dr. Stephenson and Partners The Health Center）を視察しました。夜は、サステイナブル・エンタープライズ・ストラテジーズ（Sustainable Enterprise Strategies, SES）で、ダイレクター（Director）のサディントン，マーク（Saddington, Mark）氏から事業等の概要説明を受けました。

6日は、ニューカッスルからロンドンへ移動し、ロンドン大学で林真由美先生と面談し、イギリスの医療・介護の実体について説明を受けました。

以上が視察調査の全体の概要ですが、本書が対象としているのは、ロンドンのアカウント3とAge UKです。そしてニューカッスルでのGentoo、フラワーミル、ボックス・ユース・プロジェクト、スペース2、サステイナブル・エンタープライズ・ストラテジーズです。

3. 本書の概要

本書は、「I　イギリスの社会的企業政策」と「II　イギリスの社会的企業と地域再生」の二つと補章から構成されています。

イギリスの社会的企業政策

まず、「I　イギリスの社会的企業政策」についてです。

「第1章　社会的企業に関する研究」は、「社会的企業の概念とアプローチ」について、日本の研究者の業績から整理しています。結論的には、「社会的企業の概念はまだ確立していない」のですが、いくつかの概念には論者によってアプローチに違いがあります。たとえば、非営利組織研究の延長線上に位置づける潮流、企業論による社会的企業へのアプローチの批判的検討、「社会的企業」の新しい見方――社会政策のなかのサードセクター、社会的企業の本質はハイブリッド性との主張、社会的企業とコミュニティの再生、「新しい公共」の担い手としての社会的企業、などを取り上げています。そして、「社会的企業」概念のアメリカとヨーロッパの違いについて述べています。

次の「研究の視点――社会的企業と地域再生」についてでは、「そもそも社会的とは何か」という問いに対して、社会的企業と地域再生」についてと、「地域再生」の定義から展開しています。

3番目は、「研究の方法と限界」です。本研究は、視察調査における事例調査法を採用して著述しています。そして、「イギリスの社会的企業」について展開しているのですが、ロンドンとサンダーランドの調査を踏まえての論述であることを踏まえて、体系だった研究ではないという限界について述べています。

「第2章　イギリスの社会的企業政策の展開」では、イギリスにおける社会的企業を定義し、その発展過程と現状を明らかにします。そのために、まず「社会的企業とは何か」について、社会的企業の類型を行います。その上で、社会的企業政策と社会的企業の定義を行います。そして、「Private Action, Public Benefit」にみる社会的企業と社会的企業の言説（ディスコース）についても述べます。

「社会的企業の規模と範囲」では、社会的企業市場トレンド2013年（Social Enterprise Market Trend 2013）の調査結果やチャリティおよび社会的企業全国調査（National Survey of Charities and Social Enterprises）の結果から社会的企業にアプローチします。そして、社会的企業マーク（Social Enterprises Mark）認証基準について述べます。

「社会的企業の政策展開」では、法律に明記された社会的企業、Right to Request プログラム、Right to Request と Mutuals について述べています。そして、この章の最後に「まとめ」を行っています。

イギリスの社会的企業と地域再生

次に、「Ⅱ　イギリスの社会的企業と地域再生」についてです。

「第3章　高齢者ケア　Age UK Lewisham and Southwark Stones End day Centre（ロンドン）」のストーンズ・エンド・デイセンターはエイジUK（Age UK）というチャリティ団体に所属しています。ルイシャムとサザーク（Lewisham and Southwark）という地区に所在する団体です。デイセンターは高齢者が日々を過ごすためにやってくる施設です。

まず、「利用者の費用とアセスメント」で、Age UK とはどのような団体か、そしてストーンズ・エンド・デイセンターの概要について述べます。利用者の費用や利用者のアセスメント、ソーシャルワーカーがアセスメントすること、利用者の移動とは80人の利用者が年間何人入れ替わるか、そういう移動について述べています。アクティヴィティを行うわけですが、スタッフはボランティアが活躍しています。イギリスでは、子が親の介護をするわけではありません。リビングウェイジとは「これくらいないと生活できませんよ」といった給料のことです。1時間当たり9ポンド40セント(1,700円。2015年度平均の1ポンド＝181円で計算）になります。デイセンターの運営については、まず、デイセンターの運営資金はどれくらいかというと、年間40万ポンドになります。利用者は自己予算であるパーソナルバジェットをもらって、その人のニーズに合った方法で使うことが出来ます。その他、利用者とGP・セラピストとの関係、サードセクター、ボランティアについて述べます。

「第4章　女性のための社会的企業　アカウント3(ロンドン)」は、女性のためのコープとして20年前に設立されました。一番大きな問題は言語の壁だったそうです。子どもを抱える移民たちのために、女性のためのドライビングスクールを設立したり、100を超える新しいベンチャー企業を立ち上げたりしています。アカウント3が行っている「プロジェクトとコース」の中でアトゥシさんは、タワーハムレッツ区は金融街の金持ちが仕事をしている地域で、世界で一番金持ちの区なのに、42%以上の子ども達が貧困家族だと述べました。社会問題を解決するための法律家の助言と裁判が必要であり、女性のリーダーシップコースとファーストエイドコース、そして仕事を探すことをサポートするプロジェクトに取り組んでいます。

アカウント3の社会的企業としての役割として、1つ目のリサーチとしてＮＨＳへのフィードバックがあります。2つ目のリサーチは、ロンリネス・プロジェクトです。そのために、20人のボランティアをリクルート中でした。フィールドワークする人たちをスーパーバイズしていました。私たちが訪問した当時、社会的企業としての役割で最も重要なのは保育園の設立でした。アカウント3の保育園に通っていた子どもたちの成績がいいと言われていました。そして、企業やコミュニティとパートナーシップを組むことが重要だとアトゥシさんは述べました。

東ロンドンはどんどん変化していきます。アカウント3も変化しなければなりません。アカウント3は、協同組合から社会的企業の形態になったわけではありません。プロジェクトの一部がエンタープライズ（企業）に分けられる場合もありますが、組織の機能や骨組みはコープ（協同組合）です。コーペラティブUKからサポートも受けています。クライアントは増えているし、ボランティアの数は100人くらいとのことでした。リーガルエイドが縮小していき、アカウント3ではいくつかのコースを運営していますが、その訓練の結果、就労した人は46人だったそうです。貧困と犯罪の関係や20年間の東ロンドンの変化の特徴についても述べています。

「第5章　住宅政策　社会的家工Gentooイングランド（サンダーランド市）」は、まずSHCAとの連携から述べています。コープから社会的企業へ変化したSHCAは週12,000時間のサービスをサンダーランド内で提供しています。パーソナルケアがSHCAの主な仕事ですが、インディペンデント・ヒューチャー・サポート・プロジェクトやトレーニングの事業をしています。

サンダーランド市は、ロンドンから北東へ約440km、電車で4時間ほどのところにある港湾都市です。ハウジング・アソシエーションとしてスタートして、シェルタード・アコモデーションは介護用住宅のことで、入居できるのは60歳以上からです。エクストラ・ケア・ハウジングまたはエクストラ・ケア・スキームとは、高齢者の病院入院日数を減らすことを目的とした政府からの補助金です。Gentooが直面する課題は、その政府からの補助金がストップしてしまったことです。

建物の視察では、ノーマさんの部屋を見せてもらいました。一人部屋ですがツーベッドルームで、広々としていました。そして、ラウンジ、ランドリールーム、ケアラーズルーム、ゲストルームを見ました。エレナさんの部屋も見せてもらいました。こちらも一人部屋ですが、ツーベッドルームです。快適に過ごしている様子がよくわかりました。空室待ちは20人以上だそうです。

この章の最後に、リビングウェイジとダイレクト・ペイメントについて詳しく説明しました。欧米の一部では「ダイレクト・ペイメント方式（direct payments）」、つまり障害者が自治体などから直接介護費用を受け取ることにより、障害者自身が介助者を直接雇用するシステムがあります。ダイレクト・ペイメントの受給資格は、(1) 障害者であること、(2) 18歳以上であること（保健及び社会ケア法2001にて特定条件の16～18歳に拡大）、(3) コミュニティケア・サービスの必要性についてアセスメントを受けること、(4)（強制されるものではなく）進んで制度利用したいこと、(5) ダイレクト・ペイメントを管理できること（単独またはアシスタントを伴って）、アシスタントをもつ場合でも最終的に自己決定ができること、です。1997年4月施行当初は18歳以上64歳以下の障害者が対象でしたが、その後適用対象を拡げ、2000年には65歳以上の高齢者にも適用が開始されました。しかし、ダイレクト・ペイメント制度普及には課題もあることを述べています。

「第6章　障害者就労支援　フラワー・ミル（Flower Mill）（サンダーランド市）」は、SHCA（Sunderland Home Care Associates）のプロジェクトの一つで、プロジェクトは私たちが訪問した2015年11月の2年前に開始されました。そしてCIC（Community Interest Company）の法人格を取得し、これから本格的に動き出すところでした。

ガーデンセンターのマネジャーはマーティン（Martin）さんです。彼は園芸の専門家で、ガーデニングに必要な知識を教えています。ここに来る学生たちの障害の度合いは一人ひとり違います。ですからその人にどういったものが合うか、その人が将来どのような手に職を身に付けられるか、人それぞれで同じではありません。フラワー・ミルのガーデンセンターとSHCAは、サンダーランドの地方自治体とも密接な関わり合いがあります。自治体としては何らかの障害を持っている子どもたちの就業支援をメインにしたいこともあり、コミュニケーションを頻繁にとっています。ソーシャルインクルージョン（social inclusion：社会的包摂）といって、違う立場の人たちがみんなで一緒に共同生活を送ることができるコミュニティを目指すというのがあります。障害をもっている人たちと健常者、それから高齢者などそういったいろいろな人たちが一つの地域で仲良く暮らしていくことです。

フラワー・ミルのスタッフと利用している人の数はどうでしょうか。フルタイムの雇用者がひとり、パートタイムの雇用者が2人です。学生は3人でメンター制度でここにいる人たちです。ワーク・エクスペリエンスの数はだいたい1日当たり3人です。それは週7日間ですので、週に21人です。私たちが訪問した日は、ひとりしかいませんでした。体調を崩して休みだということでした。フラワー・ミルを開始した当時は雑草が生い茂っていて、現在の姿にするまで1年近くかかったと、マーティンさんが一緒に歩きながら説明してくれました。

「第7章　中間支援組織　SES（サンダーランド市）」は、社会的企業および小規模ビジネスの起業支援と雇用創出を目的とする中間支援組織です。1983年に設立された「サンダーランド共同所有制企業資源センター」という協同組合開発機関を前身とし、2000年に「ソーシャル・エンタープライズ・サンダーランド」に、そして2008年に現在の組織名称になりました。現在の法人形態はCIC（コミュニティ利益会社）です。32年間活動を続けています。設立の目的はとてもシンプルで、貧困や不平等問題に立ち向かうことであり、企業設立のサポートです。経済的にすべての面において、平等な社会を目指しています。「共有することでともに成長する」ことが、良いと考えています。

SESには4つの目的があります。1つ目は、サンダーランドとニューカッスルの貧困地域の伝統的なビジネスの設立（企業）のサポートです。そして2つ目はイングランドの北東地区における社会的企業と協同組合をサポートすることです。3つ目はコンサルタント業務で、最近発展している分野です。コンサルタントに関する業務には、色々なプロジェクトをどのように開発していくかということ、またその影響力がどのようにあるかということ、プロジェクトに対する再評価、そしてビジネスプランの再評価といったものが含まれます。4つ目は社会的企業や協同組合、企業のために、貸しスペースを提供するビジネスです。

408ものトラディショナルな会社を新たに起業させ、社会的企業の設立は267になります。それを全部トータルすると3,650万ポンド（66億650万円）の年間売り上げになります。設立された社会的企業のうち、女性の占める割合は78％です。

「第8章　若者の生活と教育の支援　The Box Youth Project（サンダーランド市）」の「ボックス・ユース・プロジェクト」は団体名で、若者の失業問題に対する地元住民の懸念から設立されたユースクラブ（Youth Club）です。何らかの目標を達成するための計画を指す「プロジェクト」ではありません。本文では、団体を指すときは、「ボックス・ユース・プロジェクト」と記述し、目標達成のための計画を意味するときは「プロジェクト」と記述して区別しています。そして「プログラム」という記述は、「ある物事の進行状態についての計画や予定」という意味で用いています。

ボックス・ユース・プロジェクトは、今でも地域の住民たちによって運営されています。運営の核となるミーティングには、7人のメンバー（board member）が参加していて、マネジメント（経営）に関わっていた人もいれば学校教育に関わっていた人もいます。彼らの共通点は、このステート（state：自治体）に現在も住んでいるということです。

以前は、地方自治体が若い人たちが使う施設の運営に責任をもっていました。ところが、財政が縮小され、その運営費が削減されてしまいました。その後、26の選挙区に分かれているサンダーランド市の選挙区一つひとつが、ボックス・ユース・プロジェクトのような活動をしている団体と密接なつながりをもって、その地域の活動をサポートするように変化しました。地方自治体が直接世話をしていたことを、それぞれの団体が区域（Ward）ごとに任されるようになったのです。26ある選挙区のうちの2つの選挙区（ドックスフォード・パークとセント・チャールズ）が、ボックス・ユース・プロジェクトがカバーしているエリアで、8歳から19歳までの子どもや若者の面倒を見ています。

ボックス・ユース・プロジェクトは、サンダーランド市のドッグスフォード・パークの地域の子どもたちや若者に、安全な場所を提供して教育やレクリエーションの機会を作ります。それは、1年を通して子どもにアドバイスやインフォメーションを行い、色々な問題をサポートしています。そのプログラムとしては、キッズ・プログラム、ジュニア・プログラム、アウトリーチ・ユースワーク、ヤング・ボランティア・プロジェクト、プロジェクト・ガンビア、オルタナティブ・エデュケーション・プログラム、モチベート・プログラムなどを行っています。

しかし課題もあります。ボックス・ユース・プロジェクトは、地方行政の財政縮小によって、2014年は1万8,000ポンド（325万

8,000円）の補助金を得ることができませんでした。2015年も1万8,000ポンドの減収が見込まれていました。そして2017年には地方行政からの収入は見込めないとのことでした。

収入の減少は確実なので、トラスティ（trusty：信頼できる）のメンバーによって、その対応策について話し合いがされていました。それは他のエージェンシーとサービスの提供をシェアできないかなど、コストダウンやサービス効率化を諮ることでした。サービスを持続させるための秘訣について日々模索し続けていました。
また、そのような財政難の中にあっても、ニートをどのように支援するか、サポートの試みも始まっていました。

「第9章　若者の就労支援と地域再生　SPACE2（ニューカッスル）」は、YMCAニューカッスルの5つのプロジェクトのひとつです。若者の生活や就労に関する幅広い支援サービスを提供しています。スペース2には、4人のフルタイムスタッフと2人のパートタイムスタッフがいます。そして20人ほどのボランティアの人たちがいて、そのうちの2人くらいが1日働きにきてくれます。4人のフルタイムスタッフがだいたい100人のサービスを受けに来る人たちの面倒を見ます。2人のパートタイムスタッフが専門職の部門を見ます。ボランティアは何をしているかというと、ダンスやキッチンでボランティアをしています。

スペース2でやっていることは、YMCAニューカッスルがやっている5つの部門のうちのひとつで、他の4つの部門と合わせると100万ポンド（1億8,110万円）にのぼるそうです。YMCAニューカッスルのすべてのスタッフ数は32人です。そのうち、スペース2では4人ということです。スペース2のプロジェクトは、100万ポンドの10分の1なので、プロジェクトの中では一番お金をかけているところです。なぜスペース2が一番高いかというと、市の中心だからです。

ニューカッスルの地図を見ると、富裕層と貧困層のエリアに分かれます。一番貧しい人たちは、イギリスの所得金額の最低20%の人たちです。なぜニューカッスルの市がこのような分布になっているかというと、ほとんどの大都市は川を中心に発展してきました。川を中心に発展した都市に往々に見られがちなのが、川が一番谷にあるということで、そういった都市でお金持ちになった人たちは高台の環境の良いところに引っ越す傾向がみられます。一番金持ちのエリアは川の上のエリアで、下に下にと推し込められているのが貧しい人たちです。

何が若者の就労の壁になっているのか。一つ目が教育です。なんと半分以下の子どもたちしか、学校の必須課程を終えていません。500人の子どもたちが学校生活をできていない状況です。次の壁は貧困です。川沿いに住んでいる50%の人たちは、イギリスでカテゴライズされる「貧困層」に属しています。すごく大きな壁のひとつが、希望とか文化、そして向上心、そういったものが足りないということです。このエリアの人たちは、3世代にわたって失業している世代です。ですから、生まれた子どもにも仕事を得ることを期待すらしていません。仕事に就くこと自体が彼らの生活からすると、普通ではないからです。ということで、向上心自体がない為に、そのための教育を受けようとする気持ちが起きないわけです。

もうひとつのティーンエイジの人たちの壁が、住居です。親と一緒に生活するには親が生活費を出せない状態にありますし、独立して家を出るには資金が足りない人達です。

もうひとつはモービリティの問題です。イギリスは物価が高いということですが、働きに行くための手段、公共の乗り物の手段が高価ということです。仕事自体も少ないエリアなので競争率も高くなります。そして競争率というのは、大学新卒者の5万人という数が競争しているわけです。

スペース2では、社会的企業で収入を増やそうとしています。そのお金を使って若い人とともに進んでいこうとしています。マムズ(Mams)というケータリングのサービスや色々な機材のレンタルをする職もあります。場所ということでは、スペース2の建物の色々な部屋を企業に貸し出したり、イベント会場として利用したりします。そういったところから得られる収益がお金として入って来て、次のプロジェクトにつながって、それがうまくサイクル持続して循環していきます。

YMCAは将来の生活をよくするための教育や健康を改善する行動、それがすべての若い人たちにとって、必要かつ有益なものであると考えています。身体、メンタル、セクシャルヘルスの面から、改善するための幅広いサービスを提供しています。例えば、その範囲は山登りや料理、クラミジアのテストなども含まれます。ということで、あらゆる面をカバーしています。ニューカッスルの中だけで、2014年には2,383人の若者たちのサポートを行いました。ニューカッスルの推計人口28万6,821人（2013年推計）の1％弱に相当します。

「補章　欧州のソーシャル・ファーム――企業の社会参加：障害者に就業機会とビジネスの良い機会を――」は、2007年10月に東京で開催された、第34回国際福祉機器展H.C.R.2007国際シンポジウム（主催：全国社会福祉協議会 保険福祉広報協会）に参加した時に、シンポジウムに招待されたオランダ（EU）・ユトレヒト教育専門大学ソーシャルワーク学部教授のジャン・ピエール・ウィルケン氏の講演「企業の社会参加―障害者に就業機会を、ビジネスの良い機会を！」を参考に筆者が執筆したものです。

ウィルケン氏の講演内容は、障害者の労働市場への参加ですが、そのポイントは、「Social Inclusion＝ソーシャル・インクルージョン」という概念です。そして、「Social Enterprises＝社会的企業」の特徴を把握し、社会的企業の代表的形態としての「Social Firms＝ソーシャル・ファーム」を理解することが重要です。

ジャン・ピエール・ウィルケン氏の講演大要を紹介し、おわりに、筆者のコメントを述べました。サブタイトルに「企業の社会参加：障害者に就業機会とビジネスの良い機会を」との記述通り、主に障害者の就業機会について、ヨーロッパの取り組みを述べています。内容としては、世界における実情、2006年：EU障害行動計画、EU障害者雇用政策、雇用機会を増大するための最近の取り組みと社会的企業、ソーシャル・ファームまたは「優遇されたビジネス」についてです。

以上が、本書の概要になります。

注

1) この時のインタビューは、小磯明（2017：302-320）を参照してください。なお、この元の原稿は、ハワード，ロバート（2016）です。
2) ガイス＆聖トマス NHS-FT については、小磯明（2019：30-53）を参照してください。
3) サウス・ロンドン＆モーンズリー病院（NHS-FT）については、小磯明（2017：124-162）を参照してください。
4) サンダーランド市民病院トラスト（Sunderland City Hospital & Colleagues）、NHS North East Academy のスペンサー，クライブ（Spencer, Clive）（Director）氏からの NHS の説明、CEO のブレムナー，ケン（Bremner, Ken）（Chief Executive）氏からサンダーランド市民病院トラストの説明、サンダーランド市民病院内の視察、そして GP 診療所の実践については、小磯明（2019：73-144）を参照してください。

文献

Peattie,K and Morley, A., *Social Enterprises: Diversity and Dynamics, Cotexts and Contributions*, Social Enterprise Coalition（SEC）, 2008.

小磯明『イギリスの認知症国家戦略』同時代社、2017 年。

小磯明『イギリスの医療制度改革——患者・市民の医療への参画』同時代社、2019 年。

ハワード，ロバート（インタビュー）、インタビュアー小磯明「イギリスのアルツハイマー研究の最先端」日本文化厚生連『文化連情報』No.455、2016 年 2 月、pp.22-27。

塚本一郎「キーパソンに聞く：非営利セクターの新しいモデルとしての社会的企業——日本、イギリス、アメリカの比較」三菱総合研究所『自治体チャネル』第 112 号、2008 年、pp.10-13。

坂本忠次「わが国社会的企業等に関する一考察」関西福祉大学社会福祉学部『関西福祉大学社会福祉学部　研究紀要』第 13 号、2010 年、pp.147-154。

Ⅰ　イギリスの社会的企業政策

第1章　社会的企業に関する研究

1．社会的企業の概念とアプローチ

「社会的企業」の概念はまだ確立していない

橋本理（2013）では、「社会的企業の現状と課題」（第7章）について述べています。前述したように、近年、社会的企業（Social enterprise）という用語が広まりつつあります。とりわけ、欧米諸国を中心に、社会的企業に関する研究が進められています。その影響を受けながらアジア諸国、日本においても、社会的企業に関する研究が徐々に進められており、これらの研究の進展とともに、社会的企業に類する法制度の整備が進められている国も現れています。橋本は、「社会的企業という用語をめぐっては、ソーシャル・アントプレナー（social entrepreneur, social entrepreneurship）やソーシャル・ビジネス（social business）などの用語を使用する論者もいる。だが、現時点では、必ずしもこれらの各概念の区別が明確になされているとはいえず、それぞれの用語について共通の理解が成立しているというわけではない」と述べています（橋本 2013：191）。

結論を先取りするなら、このように述べることができます。しかし、社会的企業の概念とアプローチをめぐって、どのような議論があるかを知ることは重要なことです。すべての議論を取り上げることは不可能ですが、主な議論について述べることとします。

非営利組織研究の延長線上に位置づける潮流

日本ではコミュニティ・ビジネスという用語が社会的企業と近い概念として使用されており、とりわけ現場レベルではその傾向が強いものがあります。研究と現場レベルの動きがリンクしながら、社会的企業やソーシャル・ビジネスという名のもとで活動する団体も現れています。例えば、三宅由佳・吉田耕一（2014）は、ビッグ・イシューのビジネスモデル、NPO法人「しゃらく」が運営する「しゃらく倶楽部」のソーシャル・ビジネスの実際、京都府のソーシャル・ビジネス支援戦略を紹介しています。

そして、非営利組織研究の延長線上に社会的企業を位置づけることは、一つの潮流となっています。例えば、小柴巌和（2014）は、「社会的企業（非営利組織）によるソーシャル・マーケティング」で、事例として（株）プラスヴォイスを挙げています。この会社は「『聴覚障害者のコミュニケーションバリアの解消』と『障害者のアクセスビリティ向上を通じた企業のCSRの実現』を同時に達成することをめざしたマーケティングを実践している」と述べています。「ICT（情報通信技術）をフル活用し、障がい者がリアルタイムでコミュニケーションを図ることができるサービスとして、企業、障がい者双方から注目を集めている」。「代理電話サービスは月500件以上」の利用があり、電話を使う習慣がなかった聴覚障害者の生活の質（Quality of Life, QOL）を向上させることに貢献している（経済産業省2011）。「約600万人といわれる国内の補聴器利用者等の聴覚に障害を抱える人々とこのような人々を消費者として期待する民間企業をつなぐ潜在的なソーシャル・マーケティングの開拓につながるソーシャル・マーケティング事例である」と述べています。

他方、社会的企業論においては、企業の社会的責任や社会貢献、フィランソロピーなどを主要な論点として取り上げる論者もいます。したがって、社会的企業論が、非営利組織やサード・セクターに属する組織のみを対象とするのか、営利企業も含む形で民間企業全般を対象とするのか、ということも論点となります。

企業論による社会的企業へのアプローチの批判的検討

企業論による社会的企業へのアプローチの批判的検討として、藤井敦史の議論をみてみます。

藤井（2007）は「社会的企業が、企業の社会的責任（CSR）との連続線上で捉えられると同時に、社会的起業家個人の自由な発想を基盤とした組織、また、一般市場で自立して継続的に経営可能な組織といったイメージで紹介されてきた」ことは問題があると指摘します。その理由は「社会的企業を、CSRとの連続線上で捉えることは、社会的企業が対峙している社会的排除というイシューそのものを曖昧化させてしまうし、社会的企業という言葉を、小規模な事業型NPOから大規模企業までを含み込む極めて漠然とした概念にしてしまう」。また、「一般市場からの事業収入のみで経営的に成り立つ組織であるといったイメージも、通常、困難な生産要素や購買力の乏しい地域市場を抱えた社会的企業を想定した時、無理がある」と説明します。

さらに藤井（2010）は「社会的企業における社会的目的を特定化し、あくまでも営利企業ではなくサード・セクターを中心に据えた議論を展開すべきだ」。「社会的排除という極めて現代的な社会問題の解決を志向するサード・セクター組織に照準を合わせ、社会的企業を支える多様な制度的・社会的基盤を重視する欧州の社会的企業論の方が、企業サイドからのアプローチに対して、明らかに理論的な優位性を持っている」と指摘します。

次に、谷本寛治の議論をみてみます。

谷本（2006：13）は、「ソーシャル・エンタープライズとは、非営利形態であれ、営利形態であれ、社会的事業に取り組み、社会的課題の解決に向けて新しい商品、サービスやその提供の仕組みなど、ソーシャル・イノベーションを生み出す事業体である」と述べています。さらに、従来の企業の社会的責任（CSR）の概念を超える形で、「CSRは、コンプライアンス、リスク管理という受け身的なレベルにとどまらず、社会的課題の解決に向けて企業が積極的に取り組んでいくことも求められており、それこそが新しい企業市民（Corporate Citizenship）の姿である」と述べ、「一般企業による社会的事業（CSR）」を社会的企業論の中に位置付けて議論を展開しています。

社会的企業の新しい見方――社会政策のなかのサードセクター

米澤亘は、『社会的企業の新しい見方――社会政策のなかのサードセクター』という著書の中で、社会的企業について述べています。その内容を紹介すると次のようになります。

本書は、社会的企業（とくに労働統合型と呼ばれるもの）についての「新しい見方」を提案するものです。ただし、この「新しい見方」は社会的企業のみに限定されるわけではなく、社会的企業を包含する概念であるサードセクター一般にも広く当てはまります。現代社会において、社会政策の問題系と関連づけながら、サードセクター、および社会的企業の望ましい捉え方を示すことが本書の目的です。

1990年代以来、福祉社会学や社会政策研究では、NPOや協同組合、社会的企業などのサードセクター研究は一定の影響力をもち続けています。政府や営利組織と並んでサードセクターは現代福祉の重要な部分を担うと想定されており、政府や営利組織よりも適切な存在としてその重要性が説かれることも少なくありません。

しかし、サードセクターをとりまく環境は1990年代とは明らかに異なっています。サードセクターの内部は多元化し、他のセクターとの境界も曖昧化しています。そのような中で、サードセクターは、かつてとは異なる形で捉えられ、研究がなされる必要があると米澤は指摘します。

サードセクターとは、純粋に国家でも市場でもない領域において活動する民間かつ非営利（not-for-profit）で、制度化された組織の集合を指します。それは、非営利組織や協同組合などが該当します。これまでの研究では、本書で批判的に検討するように、サードセクターは政府や市場にはない「何かのよき性質」（例えば互酬など）を体現する組織の集合として、定式化が図られ、理論・経済的蓄積がされました。

「社会的企業とは何か」の概念規定自体は簡単なものではありません。とりあえず一般的に通常採用される「社会的目的をもち、経済活動によってそれを達成しようとする事業体」と米澤は規定します。ここで経済活動とは、財やサービスを生産し、それを販売することを意味します。国際的に著名な社会的企業の例とされるのは、雑誌販売を通じてホームレスの自立支援を行うビッグ・イシュー、途上国で低所得者の小口貸付を行うグラミン銀行などが挙げられます。本書の中心的な課題である労働統合型社会的企業（work integration social enterprise）とはサードセクターを構成する下位集合のひとつで、就労支援分野の社会的企業のことを指します。労働統合型社会的企業は、福祉国家の再編の文脈で注目を集めました。より具体的には、労働市場の外部に置かれる人々に社会参加を促す積極的労働市場政策（Active Labour Market Policy）を含む、アクティベーション戦略の担い手として位置づけられました。

本書ではサードセクター・社会的企業の理論的検討を行いながら、就労支援分野の社会的企業の実証的検討を通して、社会政策とサードセクターの関係性の把握を目指します。米澤は、多様な方法を用いてサードセクターや労働統合型社会的企業の成立や展開の輪郭を描こうとしています。

社会的企業の本質はハイブリッド性との主張

藤井敦史・原田晃樹・大高研道『闘う社会的企業——コミュニティ・エンパワーメントの担い手』は、ハイブリッド組織としての社会的企業に焦点を当てて、論述しています。本書の基底を流れる主要な問題意識は、社会的企業のハイブリッド性をめぐる問いです。EMES ネットワークによる社会的企業理論の研究業績を踏まえて、社会的企業を２つの意味でハイブリッド組織として捉えています。藤井敦史は次のように述べています。

「１つは、社会的企業が、ハイブリッドな組織構造（hybrid structure）を持つ組織だということであり、以下の特徴を有していることを意味している。すなわち、①事業上の目標と同時に、多様な社会的目標を追求しているという意味で、多元的な目標を有していること、②マルチ・ステークホルダーの参加に開かれた組織であること、③市場からの事業収入、公的資金、ソーシャル・キャピタルなどの多元的経済によって組織としての持続可能性を確保していることである。また、もう１つは、より大きな射程で捉えた時に、社会的企業が、コミュニティと市場と政府の媒介領域に存在し、コミュニティと市場と政府の短所ではなく、長所を引き出しながら、ポジティブなシナジー（肯定的媒介）を生み出す組織だという点である。言うなれば、コミュニティ形成を通した問題解決、市場におけるサービス供給を通した問題解決、政策提言やパートナーシップを伴う政治的課題解決、これらの機能をミックスさせたところに、ハイブリッド組織としての社会的企業の可能性があるという捉え方である」(藤井 2013)。

このように藤井らは、社会的企業の本質はハイブリッド性にあるのだということを主張します。

社会的企業とコミュニティの再生

中川雄一郎『社会的企業とコミュニティの再生』は、副題に「イギリスでの試みに学ぶ」とあるように、イギリスの事例を取り上げながら協同組合の視点から社会的企業を位置付けています。同時に、「コミュニティの再生」と「雇用の創出」に焦点を当てていることに特徴があります。

中川は著書の中で、社会的企業の基本的なコンセプトを簡潔に示しています（中川 2005：24-25；中川 2007：36-37)。中川は、「イギリスでは労働者協同組合、従業員所有制企業、コミュニティ協同組合、コミュニティ・ビジネス、コミュニティ・エンタープライズ、コミュニティ・アソシエーション、ソーシャル・ファーム（Social Firm)、住宅協同組合、消費者協同組合、クレジット・ユニオン、LETS（地域通貨)、コミュニティ開発トラストなどの事業体が各々『社会的企業』を名乗る場合もあれば、またそれらのいくつかの事業体が相互に連帯しグループ化して『社会的企業』を名乗る場合もある」と述べています。この点は、筆者も現地調査から経験したことであり、非常によく理解できます。

また「イギリス協同組合連合会（CU）は、協同組合を、①労働者協同組合、②コミュニティ協同組合、③協同組合事業連合会（第二次協同組合組織)、③ケア協同組合、④社会的雇用協同組合、⑤保育協同組合、⑥マーケット・トレーダー協同組合、⑦相互保証協同組合、⑧フード協同組合、⑨住宅協同組合、⑩消費者協同組合に分類しており、この分類に従っても、協同組合は社会的企業の主要な構成部分と言えよう」と述べています。

「社会的企業」という用語は、「コミュニティによって所有・管理される企業（事業体)」を指す総称的、包括的な用語となっているものの、「共通の定義についてはない未確定のままである」と指摘した上で、①社会的企業は「コミュニティの質」と「労働と生活の質」の向上を目指すという明確な社会目的を遂行する、②社会的企業は非営利組織である、③社会的企業は参加と平等な権利とを基礎とする協同組織である、④社会的企業は地方のコミュニティの経済的発展に関わる計画・戦略を実行する、⑤社会的企業は経済的エンパワーメントをコミュニティに与える自助組織である、⑥社会的企業は法律に準拠した合法組織である、との定義のための基準は共通しているので、比較的多く用いられている「社会的企業」のコンセプトを示しています。

社会的企業は、次のような明確な社会的目的をもつことから、利潤を生み出す取り引き以上のことを行う企業です。

(1) 雇用の創出、安定した仕事の確保、それに（失業者、障碍者など）不利な条件の下に置かれている人たちやグループを労働市場にアクセスさせる。

(2) ケア、教育それにレジャーのような、地方のコミュニティのニーズに直接関係する、コミュニティのニーズに直接関係する、コミュニティに根ざしたサービスの供給。

(3) 職業訓練や人間的発達の機会の提供（職業訓練と人的資源の開発に対する責任）。

中川は、このようなコンセプトとほぼ共通して見られる基本的な基準とを念頭において、社会的企業の全体像に接近しています。そしてイギリスにおける「雇用の創出」を梃子とする「コミュニティの再生」の試みを検討しているところに、著者の特徴があると言えるでしょう。

「新しい公共」の担い手としての社会的企業

「新しい公共」の担い手として著述されたのが、OECD 編／連合総合生活開発研究所訳『社会的企業の主流化――「新しい公共」の担い手』（原著は、OECD, *The Changing Boundaries of Social Enterprises,* 2009.）です[1)]。

本書では、「社会的企業は、この 10 年にわたり、さまざまな困難を乗り越えて、持続的な地域開発の促進、地域の富や仕事を創出するための支援、社会的排除とのたたかいに取り組んできた。今日では、社会的企業は、強化・発展という新たな局面に入っている」と述べます。そして「社会的企業のさらなる発展のためには、政府の支援は不可欠である。社会的企業のための支援手段はその創設や成長を促進することができるし、適切な資金調達手段は社会的企業のミッションを充分に果たすのに役立つことができる」と述べます。そして、「最近、OECD加盟国のなかには、社会的企業に関する新たな法律が制定された国もあり、社会的企業にかんする新たな機会を与えている。現在、社会的企業にとっての新たな境界が拓かれており、それが新しい課題に取り組むための実力を充分に身につけることを求めている」と指摘します。

このように本書は、国および地域レベルの政策立案者に対する提言を含み、一連の国際的な好事例を提供しています。

「社会的企業」概念のアメリカとヨーロッパの違い

上述した「新しい公共」の担い手としての社会的企業において、「社会的企業」の概念の違いについて、アメリカとヨーロッパでは違いがあるので、言及しておくことは適切と考えます。これは、社会的企業家精神や社会的企業という同じ言葉が異なった意味を持つ2つの大きな地理的、文化的な背景が存在していることに起因するものと考えられます。OECD編／連合総合生活開発研究所訳(2010)では次のように併記して述べています。

「アメリカにおいては、社会的企業とは、自らの社会的ミッションの資金面での裏づけとなる『稼得所得戦略』を発展させている非営利組織をさすのがふつうである。そのさいに行う取引活動は、必ずしも、その非営利組織（NPO）の社会的ミッションと関係があるわけではない。社会的企業家精神の概念としては、社会革新のプロセスが強調される。こうしたプロセスに携わる社会的企業家の所属する組織ということでは、本業の他に社会的に有益な活動（企業フィランソロピー）をしている営利会社から、営利目的と社会的目的をつなぎあわせる二重性格をもつ企業（混合型）まで、さらには、純然たる非営利組織にいたるまで、きわめて幅のある広がりがみられる」(OECD編／連合総合生活開発研究所訳2010：14-15)。

さらに、ヨーロッパの社会的企業について、次のように述べています。

「ヨーロッパでは、社会的企業家精神と社会的企業は、往往にして、商売をする『もう1つのやり方』(フランス語で entreprendre autrement、代替的企業）として捉えられており、通常はサードセクターと位置付けられる。社会的企業の活性化状況を把握するための評価基準のリストが開発されてきた。評価基準とされているのは、1）行っている財・サービス生産活動の継続性、2）自治能力、3）経済的リスク、4）地域社会に有益なものをもたらす明確な目的、5）資本所有にもとづかない意思決定権限、そして6）利益の分配の限定性、などである。さらには、ガバナンス構造が広く民主的なものとなっているか否か、マルチ・ステークホルダーの参加が確保されているかどうか、ということも重要な留意点となっている」(OECD 編／連合総合生活開発研究所訳 2010：15)。

社会的企業は、一般的には、労働市場の統合、社会的包摂、そして経済的発展に貢献するという、社会的目的と経済的目的の両方を充たす新機軸のビジネスモデルとして理解されています。社会的企業は社会革新の推進手段です。社会的企業がとりいれる組織構成と法的形態は、OECD 諸国の間においても、非常に多様なものとなっています。

以上のような社会的企業に関する概念やアプローチを提起することができますが、これらは論者や文脈によって様々に展開されています。一概に、社会的企業の定義を現時点で決定的に述べることは、まだその段階ではない気がします。本章では、社会的企業の概念はまだ決まっていないことを述べましたが、主な先行研究のレビューでもあります。

2．研究の視点——社会的企業と地域再生

次に、本研究の視点について述べます。

そもそも社会的とは何か

定義に関わって論じなくてはならないことは、「そもそも社会的

とは何か」ということです。この点について最も示唆的な事例は、社会的企業の典型とされるイタリアの社会的協同組合です。1991年の法制定によって導入された社会的協同組合は、提供する財やサービスが社会的であること、社会的な疎外によって雇用機会から遠ざけられている人々に就労の場を提供すること、この二つの要素の片方あるいは両方があることで「社会的」な協同組合として認められます。

白石克孝（2007）は、「この発想にならえば、社会やコミュニティに必要とされているが、政府や市場を通じてでは十全に流通しない財やサービスを供給すること、ジェンダー、人種、宗教、言語、教育、障害、長期失業などを理由とした社会からの疎外を被っている人々、困難な地域条件を抱えている地域の人々が就労できるような取り組みをしていること、これらのマッチする事業体を社会的企業と呼ぶことが理解しやすい。社会的企業が社会的というのは、提供する財やサービスが社会的であること、あるいはその両者を兼ねていることである」と述べています。

では、提供する財やサービスが社会的であるというのは何を指すのか。経済学的に言えば、「公共財と民間財の間に広がる混合財というのがこれにあてはまる。またいわゆるクラブ財についてはこれをコミュニティ財あるいは地域公共財としてとらえて混合財の中に含めればよいと考える」と白石（2007）は述べます。

社会的企業とは、利潤追求を第一義とするのではなく、「コミュニティへの貢献という明確な目的」をもって、社会的な「財・サービスの生産・供給の継続的活動」を行うために、可能な限りでの社会的な雇用を含む「有償労働」者を有して、「経済的リスクの高さ」を負うような経営体として、行政や他の組織に管理されることなく「高度の自立性」を保つことを組織原則とする企業です。

白石が考える社会的企業とは、以上のように述べることができます。

社会的企業と地域再生

「社会的企業」と「地域再生」はどのように結びつくのか。まず、

「地域再生」との関係から社会的企業の定義について検討します。

八木橋慶一（2011）は、「①社会的企業と同様に社会問題に取り組む他のセクターとの境界線、②ヨーロッパとアメリカにおける社会的企業の解釈の混同」の視点から、社会的企業の定義を簡潔に整理しています。

①については、「従前から存在するNPO（非営利組織）と協同組合との区別、あるいは協同組合・共済組合・アソシエーションの経済活動を抱合する概念」（大沢真里 2011：1）とされる「社会的経済（ソーシャル・エコノミー）もしくはサードセクターとの関係性が問題となる」と述べます。これについては、ドゥフルニとニッセンが指摘した「各サードセクターが持つ特徴的な構成要素を架橋する」概念（Defourny and Nyssens 2006：7）という定義に従うこととします。つまり、NPOと協同組合の両者の活動領域が重複箇所に存在するものが社会的企業ということになります。「同様に、社会的企業はサードセクターの新たな下位区分として捉えられるものであり、サードセクターと概念的に断絶はなく、サードセクター内部の新たな駆動力である、という彼らの認識にも従うこととする（Defourny and Nyssens 2006：9）」と述べています（八木橋 2011）。

②については、イギリスを対象とする八木橋（2011）は、ヨーロッパの解釈に従っています。OECD／連合総合生活開発研究所訳（2010：14-15）は、アメリカでは「自らの社会的ミッションの資金面での裏付けとなる『家得所得戦略』を発展させる非営利組織」、つまりビジネス的感覚を重視する組織としています。これに対してヨーロッパでは、社会的企業をビジネスにおける「もう１つのやり方」を実践する組織とし、社会的企業をサードセクターに限定して位置付けるものとしていることは、先に述べたとおりです。

ボルサガとドゥフルニ（2004：27-29）は、ヨーロッパにおける社会的企業の定義リストを次のように整理しています。①財・サービスの生産・供給の継続的活動、②高度の自律性、③経済的リスクの高さ、④最少量の有償労働、⑤コミュニティへの貢献という明確な目的、⑥市民グループが設立する組織、⑦資本所有に基づかない決定、⑧活動によって影響を受ける人々による参加、⑨利潤分配の制限、です。ただし、ヨーロッパでも各国で歴史的、文化的背景は異なるため、サードセクターあるいは社会的企業の法的整備は一様ではありません。その上で八木橋（2011）では、英国政府の次の定義を援用しています。

> 「社会的企業とは、主として社会的目的を伴うビジネスのことであり、[事業で生み出された] 剰余金を株主や所有者の利益最大化のために活用するよりはむしろ、主にその社会的目的のためにビジネスあるいはコミュニティにおいて再投資する」事業体である（Cabinet Office 2006：10）

上記の英国政府の定義が曖昧なものであり、ヨーロッパとアメリカの折衷的な側面があることは否定できません（Ridley-Duff and Bull 2011：63-64）。また、活動領域や形態において多様な事業体をすべて「社会的企業」と定義することには、一定の危険性はあります（橋本 2009：142-143）。実態を把握しつつ、論者の立場や取り上げるテーマから一定の制限を課して論じることが好ましい性質のものです。むしろ、新しい概念と考えるのであれば、理論家ではなく社会的な実践や制度によって、今後より明確に規定される可能性もあるといえます（Ridley-Duff and Bull 2011：79）。八木橋（2011）は、英国政府の施策を検討することから、この曖昧さを伴う政府定義をあえて利用しています。

「地域再生」の定義

次に検討すべきは、「地域再生」の定義です。八木橋（2011）は、英国の脈略における「地域再生」を定義しています。英国では「地域再生事業は貧困地域対策」であり、単に所得のみを問題とするのではなく、前労働党政権では雇用や教育、健康、犯罪、住宅といった複数の問題を指標化して対策を立てるという分野横断的な施策の形を取っていました。八木橋（2011）は、「地域再生」の原語はすべて regeneration をあてています[2)]。これは、「基礎自治体が政府に補助金を申請し、貧困地域の対策に率先して取り組むタイプと、政府が指定した地域に地域自治の組織を形成させて直接補助金を交付するタイプにわかれます（山本隆 2010：10-12）。

英国の地域再生政策は、このように貧困対策と同義ではあるが、それだけにはとどまりません。前労働党政権下では基礎自治体内の近隣地域（ネイバーフッド）レベルでの「地域のエンパワメントや住民の意思決定への参画」（山本 2010：14-15）を重視していました。ここでいう近隣地域（ネイバーフッド）とは、人口 1,000 人から 1 万人程度の基礎自治体内の小地域のことです。これは、再生事業の実施組織に住民代表を加えたことがあげられます。地域の公共サービスの運営に一定の責任を持つことで、自治組織の向上と地域に対する連帯感情の回復を狙ったものでした。前労働党政権時代の英国の地域再生政策は、貧困対策とならび地域におけるガバナンス構造と刷新も狙った事業であったともいえるでしょう。

上述したイギリス政府の社会的企業の定義でも「主に」「コミュニティにおいて再投資する」事業体とされています。別の政府文書においては、「地域コミュニティや地域の団体をエンパワメントし、近隣地域の再生、経済の持続的な発展の貢献」できる存在とされています（DCLG 2009：50）。社会的企業に関するヨーロッパの研究ネットワークである EMES の定義では「コミュニティへの貢献という明確な目的」を持つことが社会的企業の基準の 1 つとされています（ボルサガ・ドゥフルニ 2004：28）。また、藤井（2010：114-117）は、EMES による社会的企業の「社会性」について、社会的排除の対象となっている人々や地域の社会的包摂が社会的目的、その社会的包摂を可能にするコミュニティの形成に必要な資源が社会関係資本とまとめ、「地域性」をきわめて重視しています。

社会的企業と雇用について言えば、社会的企業が提供するサービスは、何らかの理由で就労が困難な人々への雇用の確保、社会サービスやコミュニティケアサービスといった地域性の強いサービスであるともいえます（ボルサガ・ドュフルニ 2004：472-474）。

3. 研究の方法と限界

本研究の方法は、先述した視察調査から得られた結果と所見、帰国後の文献調査を踏まえて記述しました。そして、企業政策的アプローチによる事例調査法です。したがって本書の構成は、体系だったものではなく、あくまで視察調査に基づく事例研究です。

現地調査による参与観察ではありますが、イギリスのロンドンとサンダーランド（ニューカッスル）という限られた地域を対象としています。筆者はすでに『イタリアの社会的協同組合』（小磯明 2015）を上梓していますが、他の国については研究の対象外としています。したがって、他の国の社会的企業について知る場合には、他の文献をお読みくださるようお願いします。

そして、「社会的企業」概念にはアメリカとヨーロッパの違いがあることはすでに述べましたが、本研究ではアメリカ型には言及しておらず、さらにヨーロッパ型であってもイギリスのことを述べています。本書では国際比較のアプローチはとっていないため、別の文献でフォローをお願いします。日本についても同様で、社会的企業についての詳しい調査研究は本書で扱っていません。最近の業績として、久保ゆりえ『日本における社会的企業の展開と課題――高齢者福祉を例に――』を挙げることが出来ます。

また本研究は、住民自治やガバナンス論を論点として取り上げているわけではありません。基礎自治体あるいは基礎自治体内の近隣地域におけるガバナンスの議論については、山本（2009；2010）や他の文献を参照してください。

注

1) 「本書は、社会的企業にかんするOECD 地域経済雇用開発（Local Economic and Enployment Development, LEED）による最初の研究から10年後に刊行される。その最初の研究は、国際機関により遂行された社会的企業という現象にかんする最初の報告だった。社会的企業は、排除とたたかい、個人や地域社会のために福祉を生みだすという目的をもった、地方の先導的な取り組みである」と述べています（OECD 編／連合総合生活開発研究所訳 2010：５）。
2) 英国の文脈に即して、地域の抱えるさまざまな社会問題への対策という定義を紹介しているものとして、たとえば自治体国際化協会（2004：1）を八木橋（2011）はあげています。同レポートでは、英国での定義に若干修正を施して、地域再生を「地域（area）、主に都市地域（urban area）が抱える諸問題を解決に導くとともに、変化の影響を受けやすい地域経済、社会及び環境面における諸条件を長期的視点で改善することを目的として実施される総合的かつ統一された計画又は行政活動」としています。

文献

Cabinet Office, *Social Enterprise Action Plan：Scaling new height*, 2006.

DCLG, *Tacking Worklessness: A Review of the contribution and role of English local authorities and partnerships*, Final Report, 2009.

Defourny, J. and Nyssens, M., “Defining social enterprise”, in Nyssens, M（ed）. *Social Enterprise: At the crossroads of markets, public polices and civil society*, Routege, 2006, pp.3–26.

Ridley-Duff, R. and Bull, M., *Understanding Social Enterprise : Theory and Practice*, SAGE, 2011.

大沢真理「危機の時代と社会的経済」大沢真理編『社会的経済が拓く未来』ミネルヴァ書房、2011 年、pp.1–10。

株式会社プラスヴォイス（https://plusvoice.co.jp/）.

経済開発協力機構（OECD）／連合総合生活開発研究所訳『社会的企業の主流化――「新しい公共」の担い手として』明石書店、2010 年（原著は、OECD, *The Changing Boundaries of Social Enterprises*, 2009.）。

経済産業省「ソーシャルビジネス・ケースブック」2011 年。

久保ゆりえ（明治大学大学院商学研究科 2017 年度博士学位請求論文）『日本における社会的企業の展開と課題――高齢者福祉を例に―― Challenges in the Development Process of Japanese Social Enterprises: The Case of Elderly Care Service Delivery』。

小磯明『イタリアの社会的協同組合』同時代社、2015 年。

小柴巌和「第 14 章　ソーシャル・マーケティング」山本隆編『社会的企業――もうひとつの経済』法律文化社、2014 年、pp.201–211。

自治体国際化協会「英国の地域再生政策」『クレアレポート』第 253 号、2004 年。

白石克孝「第 2 章　社会的企業について議論する」東京農工大学生存科学研究拠点編・柏雅之ほか『生存科学シリーズ 4　地域の生存と社会的企業』公人の友社、2007 年、pp.19–36。

谷本寛治編『ソーシャル・エンタープライズ――社会的企業の台頭』中央経済社、2006 年。

中川雄一郎『社会的企業とコミュニティの再生――イギリスでの試みに学ぶ』大月書店、2005 年（第 2 版は 2007 年）。

橋本理「社会的企業論の現状と課題」大阪市政調査会『市政研究』第 162 号、2009 年、pp.130–159。

橋本理『非営利組織研究の基本視覚』法律文化社、2013 年。

藤井敦史「特集　市民活動・NPO の位置づけをめぐる現代的文脈　ボランタリー・セクターの再編成過程と『社会的企業』――イギリスの社会的企業調査をふまえて」『社会政策研究』編集委員会編『社会政策研究』第 7 号、東信堂、2007 年、pp.85–107。

藤井敦史「『社会的企業』とは何か」原田晃樹・藤井敦史・松井真理子『NPO 再構築への道――パートナーシップを支える仕組み』勁草書房、2010 年、pp.103–123。

藤井敦史「序章　ハイブリッド組織としての社会的企業」藤井敦史・原田晃樹・大高研道『闘う社会的企業――コミュニティ・エンパワーメントの担い手』勁草書房、2013年、pp.1-19。
ボルサガ, C・ドゥフルニ, J.編／内山哲朗・石塚秀雄・柳沢敏勝訳『社会的企業――雇用・福祉のEUサードセクター』日本経済評論社、2004年。
三宅由佳・吉田耕一「第12章　ソーシャル・ビジネス」山本隆編『社会的企業もうひとつの経済』法律文化社、2014年、pp.153-184。
八木橋慶一「特集論文　英国地域再生と社会的企業――労働党政権期における挑戦とその意義――」近畿医療福祉大学『人間福祉学研究』第4巻第1号、2011年10月、pp.29-42。
山本隆『ローカル・ガバナンス――福祉政策と共治の戦略』ミネルヴァ書房、2009年。
山本隆「英国における貧困と地域再生（シリーズ：ネイバーフッド・ガバナンスと地域再生――日英の脈絡・第1回）」『賃金と社会保障』第1516号、旬報社、2010年、pp.14-17。
米澤亘『社会的企業の新しい見方――社会政策のなかのサードセクター』ミネルヴァ書房、2017年。

第2章 イギリスの社会的企業政策の展開

はじめに

National Council for Voluntary Organisations（NCVO, 全国ボランタリー組織評議会）の2014年市民社会セクター年鑑（UK Civil Society Almanac 2014）によると、登録チャリティの45％は、自らを社会的企業であると認識しています（NCVO 2014a）。また、43％は、少なくとも25％以上の収入を事業活動（政府委託を含む）から得ています。また、Social Enterprise UKが実施したチャリティに対する調査（2013年実施、対象102団体）では、90％以上の団体が今後事業活動から収益を増やそうと考えており、半数以上（52％）が社会的企業という言葉に「わくわくする（excited）」と回答しています（Social Enterprise UKによる調査）。

2014年は、「社会的企業（Social Enterprise）」が伝統的なチャリティ（もしくはより広範なボランタリーセクター）に受け入れられるようになった年と言えるかもしれません。例えば、NCVOは2014-2019戦略計画において、自らをより社会的企業であるべきと再評価しています（NCVO 2014b）。

また、2014年4月に刷新されたACEVO（アキーボ：全英サードセクター経営者協会）[1)]の新しいウェブサイトのトップ頁では、The leading voice of the UK's charity and social enterprise sectorという文字がヘッダーに記載されており、これまでのチャリティだけではなく社会的企業を意識した文字が記載されています。これまでボランタリーセクターを対象としてきた中間支援組織も、社会的企業を強く意識していることがうかがえます。

本章では、イギリスにおける社会的業を定義し、その発展過程と現状を明らかにします。そのうえで、社会的企業の概念について記述します。

1.　社会的企業とは何か

社会的企業の類型

社会的業は、特定の法律や制度によって規定された存在ではありません。その中には多くの異なる形態の組織が含まれています。

例えば、イギリスにおける初期の社会的企業政策に大きな影響を与えた、Social Enterprise London（SEL）は、2001年に発表したIntroduction Social Enterpriseの中で、社会的企業の諸類型を次のようにあげています（SEL 2001）[2)]。

・従業員所有協同組合（Employee-opened business）
・クレジット・ユニオン、コミュニティ金融イニシアチィブ（Credit Union and Community Finance Initiative）
・協同組合（Co-operative）
・開発トラスト（Development Trust）
・ソーシャル・ファーム（Social Firm）
・媒介的労働市場会社（International Labour Market Company）
・コミュニティ・ビジネス（Community Business）
・チャリティのトレーディング・アーム（Trading-arm）

「これらのうち『ソーシャル・ファーム』は、特に障碍者や条件不利な人たちに雇用と職業訓練を提供します。『媒介的労働市場(IML)』は、長期失業者を対象として訓練や就労経験の場を提供します。『コミュニティ・ビジネス』は、特定地域での市場・サービスによって特徴づけられます。そして『チャリティのトレーディング・アーム』は、チャリティの事業子会社としてチャリティの目的達成のために、資金獲得を行う」と中島智人（2015）は述べます。

なお、2006年の改訂版では、「クレジット・ユニオン、コミュニティ金融イニシアティブ（CFI）」はリストから外されました。また、「チャリティのトレーディング・アーム」は、「社会的・倫理的企業（Social and Ethical Business）」とし、チャリティの資金獲得のためではなく、単に「社会的・倫理的」な目的をもって設立された企業（事業体）を含むようにその範囲が拡大されています（SEL 2006a）。

この「類型」は、社会的企業に対する注目が集まる以前から、イギリスで取り組まれてきた社会的企業的な活動であり、社会的企業が多様な形態をとっていることを踏まえ、それらに共通する特性として次の3点を挙げています（SEL 2001）。

・企業志向（enterprise orientation）
市場での財・サービスの提供に直接かかわり、市場活動から利益をあげて持続的に存続することを可能にする。
・社会的目的（social aim）
明確な社会的目的を有しており、メンバーとより広いコミュニティに対して、社会的・経済的、あるいは環境上の影響を与える。
・社会的所有（social ownership）
複数の利害関係者の参加によるガバナンス構造と所有構造を持った自律的な組織であり、その利益は利害関係者への分配のほかコミュニティのための利益に費やされる。

このSELによる社会的企業の類型やその特性に対する視点には、社会的企業による雇用の促進や民主的な所有・意思決定など、協同組合的な社会的企業観が強く見られます。それは、もともとSELが、ロンドンにあった二つの協同組合機構（co-operative development agency, CDA）の合併によって設立されたことにもよると思われます（中島 2015）。

社会的企業の定義

このような多様な形態としての実態がある社会的企業について、イギリスでは、政府による「定義」が提供されたことに、その特徴があります。

イギリスの社会的企業政策は、第二期目に入ったブレア（Blair, Tony）労働党政権によって本格化されました。2001年10月、社会的企業ユニット（Social Enterprise Unit）が貿易産業省小企業局（Small Business Service, Department of Trade and Industry, DTI）

に設置され、さらに翌2002年7月に「社会的企業：成功への戦略（Social Enterprise: Strategy for Success）（DTI 2002：13）」が発表され、社会的企業に対する政策が本格化しました。この中で、次の社会的企業が定義されました。

> **社会的企業とは、社会的目的を第一とする事業体である。その剰余金は、主としてその事業もしくはコミュニティにおける目的のために再投資されるものであり、出資者や所有者に対する利益最大化要求によって動機付けされたものではない**

この「成功への戦略」の発表に際してブレア首相は、その序文のなかで社会的企業を次のように評価しており、社会的企業が持つビジネスと公益（public benefit）の推進とを結びつける姿勢に期待を込めています（DTI 2002：5）。

> **社会的企業は、公益を扱うのに斬新で新しい方法を提示する。強力な公共サービスのエートスとビジネスへの洞察を結びつけることにより、われわれは起業家的な組織の可能性を開拓することができる。このような組織は、顧客に対する高度な対応性と民間セクターの自由を持ち、しかしながら純粋に利害関係者への利益の最大化ではなく公益に対するコミットメントによって突き動かされている**

この「成功への戦略」は、社会的企業の振興のために政府が取り組むべき活動を示したものであり、特に、社会的企業が期待される分野として、市場経済における競争力と生産性の向上、持続的な経済活動による富の創造、近隣地域再生・都市再生、公共サービスの提供と改革、そして社会的・経済的包摂にかかわる活動があげられており、公共サービスや近隣地域再生や社会的・経済的包摂にとどまらない広範な政策分野での社会的企業への期待が示されています（中島 2015）。

「成功への戦略」は、今後のイギリスにおける社会的企業政策の基礎となりました。特に、財務省による『公共サービス提供におけるボランタリー・コミュニティセクターの役割：横断的レビュー』（HM Treasury 2002）発表以降、ボランタリーセクターとともに社会的企業が公共サービスの担い手としての役割が重視されるようになっていきます。

Private Action, Public Benefit

「成功への戦略」の2カ月後の2002年9月、内閣府戦略ユニット（Strategy Unit, Cabinet Office）によって発表された「Private Action, Public Benefit」は、チャリティ法や規制の改革の端緒となりました（Cabinet Office 2002a）。

社会的企業にかかわる項目としては、コミュニティ利益会社（Community Interest Company, CIC）制度の提案と、産業節約組合（Industrial and Provident Society, IPS）の改革が提言されました。この提言に至る考えを補完するものとして、本体とは別にいくつかのディスカッションペーパーが提供されており、その一つが社会的企業向けとなっています（Cabinet Office 2002b）。

この中では、社会的企業の定義は、先に発表された「成功への戦略」を引用しているにとどまっているものの、社会的企業の利点（advantage）が、利害関係者ごとに整理され列挙されています。

政府	・ソーシャル・キャピタルの醸成 ・富の創造 ・公共サービス供給の代替手段
利用者／顧客	・投資家のニーズが最優先事項ではないこと ・非分配制約が、市場の失敗や市場支配力による不正行為からの防御となること ・社会的企業が満たすより責任のあるビジネスの実践に対して、要求が高まっていることとスタッフ ・多くの社会的企業で、スタッフがガバナンスにかかわっていること
社会的企業家／慈善事業家	・社会的企業が、チャリティ資格の制約の外で、良いことを行う（doing good）手段となること

社会的企業制度の創出にあたっては、これらの「利点」を損なわ

ないよう制度設計を行うことが意識されたと考えることができるでしょう。

社会的企業の言説（ディスコース）

イギリスでは、従来から社会に存在していた社会的企業的な活動のうえに、政府政策が策定される中で社会的企業が定義されました。その結果、「社会的企業」という言葉は、それを使う人によって想定される特徴が異なり、様々な事業体が同じ言葉の中で表現されます。統一的な法制度も存在しないことから、他セクター・他団体との境界はあいまいであり、一層、統一的な定義を困難にしています。

ティーズデイル（Teasdale, Simon）は、イギリスにおける社会的企業を取り巻く5つの言説を紹介しています。このティーズデイルの分類では、それぞれの言説を推奨している団体も合わせて紹介しています（Teasdale, Simon 2010）。

一つ目は、「事業収入（earned income）」言説です。NCVO に代表される「社会的企業は、ボランタリー組織による商品やサービスを販売する活動である」とするものです。

二つ目は、「公共サービス供給（delivering public service）」言説です。ACEVO に代表される「国家は、公共サービスへの資金提供は行うもののその供給からは撤退すべきであり、サード・セクターがそのギャップを埋める」とするものです。

三つ目は、「ソーシャル・ビジネス（social business）」言説です。Business in the Community（BITC）に代表される「社会的企業は、社会的あるいは環境にかかわる目的を達成するために、市場本位の戦略を適用するビジネスです。通常の企業とは異なり、社会的企業は社会的・環境上の目的を中心に据えて活動を行います。外部投資家に対する配当制限や資産保全は必要ない」とするものです。

四つ目は、「コミュニティ・エンタープライズ（community enterprise）」言説です。開発トラスト協会（Development Trust Association, DTA）に代表される「コミュニティの富の創造に貢献する。『非属人的利益（not-for-personal-profit）』の視点で取引活動を行い、剰余金はコミュニティに再投資し、社会的、経済的、環境という三つのボトムラインの成果に影響を与える」とするものです。

五つ目は、「協同組合（co-operative)」言説です。コーペラティブUK（co-operative UK）に代表される「協同組合は、協同所有され、また民主的に意思決定されるという点で、異なる方法でビジネスを行う。事業活動の受益者は会員（メンバー）である」とするものです。

これらの言説は、イギリスの社会的企業「セクター」で共存しているものの、その時々の政策課題の主眼は、変化しています。ティーズデイルは、まず近隣地域再生戦略にみられるように「コミュニティ・エンタープライズ（community enterprise)」から始まり、「成功の戦略」の発表を受けて「ソーシャル・ビジネス（social business)」へと移り、その後「事業収入（earned income)」へと進んだことを指摘しています。しかし、公共サービス供給がボランタリーセクターへの期待となるように、「公共サービス供給（delivering public service)」も有力です。さらに、保守党・自由民主党連立政権では、従業員所有の社会的企業、「協同組合（co-operative)」が注目されています。このように、これらの言説は、どれかひとつに集約されるという訳ではなく、常に併存していると思われます（中島 2015)。

以上、「社会的企業とは何か」について、「社会的企業の類型」「定義」「言説」を述べましたが、次に、社会的企業の現実について述べます。

2. 社会的企業の規模と範囲

社会的企業は 2011 年には 6 万 8,000 社

社会的企業は開業や廃業が絶え間ないこともあり、社会的企業の規模は正確には把握できません。はっきりしているのは、社会的企業が何社あるのかは社会的企業か否かを分ける基準次第だということです。一番よく引用されるのは、ビジネス・イノベーション・職業技能省（Department of Business, Innovation and Skills, BIS）の中小企業年次調査（Annual Small Business Survey）であり、同調査によると、社会的企業は2011年には6万8,000社です。

様々な調査をまとめたSEUK（Social Enterprise UK）の報告書「英国の反撃（Fightback Britain）」によると、社会的企業の14％が2年以内に起業しているとのことです。特に興味深いのは、最も貧困なネイバーフッド（自治体の小地域）での起業が多い点です。「社会的企業全体の約3分の1が最も貧困なコミュニティで起業しており、そこは彼らが最も影響を与えることができる場所なのである」（SEUK 2011 : 6）と述べており、第3章以下で展開する筆者の調査とも一致する結果となっています。

次に、社会的企業のある程度明確な基準として、どのような基準が採用されているかを検討します。

社会的企業市場トレンド2013年（Social Enterprise Market Trend 2013）

上述同様に、ビジネス・イノベーション・職業技能省中小企業年次調査から、内閣府が作成した2013年版をみてみます。次の基準が設けられており、基準5.については、5段階評価を行います。

1. 自社が社会的企業であると認識していること
2. 50％以上の剰余金を所有者もしくは株主に分配していること
3. 75％以上の収入を補助金もしくは寄付金から得ていること
4. 事業収入が25％未満ではないこと
5. 「社会的もしくは環境にかかわる目的を有した事業体であり、その剰余金は主として株主や所有者にではなく、その事業もしくはコミュニティに再投資される」ということに同意すること

基準1.から4.を満たし、基準5.について「とてもよくあてはまる」と回答した企業（回答の6%）から判断すると、中小企業のうち社会的企業は約7万社と推計されます。また、基準5.を「とてもよくあてはまる」「よくあてはまる」と回答した企業（回答の15%）からでは、17万9,500社となります。この集計に従業員のいない企業を含めると、推計値はそれぞれ28万3,500社、68万8,200社となります。

この基準はその調査対象（小規模企業）からもわかるように、企業から社会的企業を定義したものです。

チャリティおよび社会的企業全国調査（National Survey of Charities and Social Enterprises）

内閣府市民社会局（Office for Civil Society, Cabinet Office）からの委託に基づき、民間の調査会社が2008年および2010年に実施した調査結果です。調査の母集団は、イングランドに所在する登録チャリティ（registered charity）、コミュニティ利益会社（Community Interest Company, CIC）、保証有限責任会社（Company Limited by Guarantee, CLG）および産業節約組合（Industrial and Provident Society, IPS）で、Guidestar UKから提供されました。回答者は2008年4万8,939団体で、2010年4万4,109団体でした。

この調査の設問38で、社会的企業に関する記述があり、それに「自組織があてはまるかどうか」を判断が求められています。その記述は、2002年に発表された「成功への戦略」での社会的企業の定義とまったく同一のものです。

2010年調査では、回答者の51%（2008年調査では48%）が、この設問に「Yes」と回答しました。なお、この設問38だけで、社会的企業と判断されるわけではないことが、注釈として示されています。

他の調査（上記、中小企業と思われる）との整合性をはかるために、その団体が社会的かどうかの判断は、他の設問の回答を複合的に評価して行われました。

・収入の50%以上を事業活動から得ている。
・剰余金の50%以上をそのミッションに再投資している。
・定義に照らし合わせて、自己を社会的企業と認識している。

この基準は、チャリティ（もしくはボランタリーセクター）の側から社会的企業を定義しようとするものです。企業からの社会的企業へのアプローチである「社会的企業市場トレンド」と基本的に同じ基準が用いられていることが、社会的企業の多様性を物語っているといえます。

社会的企業マーク（Social Enterprises Mark）

「社会的企業マーク」は、自身もコミュニティ利益会社（CIC）の認証を得た社会的企業であるSocial Enterprise Mark CICが運営する民間の社会的企業認証制度です。その基準は次の通りです。

・社会・環境にかかる目的を有すること
・独自の定款およびガバナンスがあること
・少なくとも50％の収入を事業収入から得ること
・少なくとも50％の利益を社会・環境にかかわる目的に使うこと
・清算する場合、残余財産を社会・環境にかかわる目的に提供すること
・社会的価値を示すこと

ここでは、特にガバナンスについての基準があること、そして残余財産の処分制限について基準が設けられている点が、特徴と言えるでしょう（下線部）。この認証基準は、いわば社会的企業のブランドを構築し、社会的な認知度を高めることが目的であると考えられるので、実際の運営を規定する必要があると理解できます。

以上のように、どのような基準で社会的企業とするかで、その規模と範囲が変わってくることが理解できます。

3.　社会的企業の政策展開

労働党政権では、明示的な社会的企業政策が打ち出されました。保守党・自由民主党連立政権では、政権樹立後すぐに「より強固な市民社会の構築―ボランタリー・コミュニティグループ、チャリティおよび社会的企業の戦略（Building a stronger Civil Society: A Strategy for Voluntary and Community Groups, Charities and Social Enterprises）」が発表され、「市民社会組織」全般への戦略が示されたものの、社会的企業にターゲットを絞った戦略は明確にされていません。しかし、政府が進める様々な政策に、社会的企業の活躍が期待されています。

社会的企業の法律への明記

様々な制度改正で「社会的企業（social enterprise）」が法律の条文に明記される事例ができました。

ひとつは、2012年医療及びソーシャル・ケア法（Health and Social Care Act 2012）です。国民保健サービス（NHS）を含む医療福祉分野の大改革であり、その中で「社会的企業」が活用できることが規定されました。2012年医療およびソーシャル・ケア法第183条第2項、同条第7項です。

もうひとつは、社会的投資税額控除（Social Investment Tax relief, SITR）です。この制度は、2014年ファイナンス法（Finance Act 2014）で制定されました（2014年度ファイナンス法第57条）。同法には、SITRの対象となる社会的企業として、コミュニティ利益会社（CIC）、チャリティ以外のコミュニティ利益組合（community benefit society, CBS）、チャリティがあげられています（同法付則11）。

ここでは、社会的企業の政策展開として、保健省（Department of Health）における取り組みをみてみます。

Right to Requestプログラム

保健省社会的企業ユニットは、労働党政権時代の2006年に設立されました。政府全体の社会的企業政策を担った貿易産業省の社会的企業ユニットのほか、独自の社会的企業支援部署を持ったのは保健省だけであったことから、保健省における社会的企業への期待の高さがうかがえます。保健省は、医療サービスの将来像を示した白書（Our Health, Our Care, Our Say）を2006年に発表し、その中で、社会的企業の活用とそれを支援するための基金の設立を宣言しました（Department Health 2006）。この白書に示された医療保健分野における社会的企業の活用は、「Right to Request」プログラムとして2008年に開始されました（Social Enterprise Unit, Department of Health and Social Enterprise Coalition 2008）。

「Right to Requestプログラムは、医療保健分野の職員、具体的にはPrimary Care Trust（PCT）の職員で国民保健サービス（NHS）のコミュニティ保健サービス（community health service）

で働いている職員（公務員）が、自分たちの仕事を持ったまま国民保健サービス（NHS）から独立するものである。国民保健サービス（NHS）からスピン・アウトした社会的企業に対しては、最長3年間はPCTとの契約が保証される。その後は、基本的に公開入札に移行する。独立した職員に対しては、適格性のある社会的企業を設立し、国民保健サービス（NHS）との契約によりサービスを提供している限りにおいて、独立時の条件で年金が保証される」（中島2015）こととなっています。

なお、適格性のある社会的企業は、「チャリティ」「コミュニティ利益会社（CIC）」「産業節約組合（IPS）」「その他、剰余金がサービスやコミュニティに再投資される非営利型企業」です。

なお、コミュニティ利益会社（CIC）は、保証有限責任会社（CLG）、株式有限責任会社（companies limited by shares, CLS）のどちらも適格です。

会計検査院（National Audit office）によれば、この「Right to Request」プログラムによって2011年末までに約9億ポンドがこのプログラムによって提供され、社会的企業に移籍した国民保健サービス（NHS）スタッフは1,700名あまりに上ることが予想されました（National Audit Office 2011）。ただし、保健省の資料によると、独立したスタッフ数は2,500名となっています（Department of Health 2011）。

筆者は、社会的企業として設立されたブロムリー・ヘルスケア・コミュニティ利益会社（Bromley Healthcare CIC Ltd.）の事例について既に述べているので、参照していただきたいと思います（小磯明2019：55-72）。

Right to Provide と Mutual Team

労働党政権時代にはじめられた「Right to Request」は、連立政権へも引き継がれました。連立政権では、その対象となる範囲を保健省からすべての省庁の職員へと広げた「Right to Provide」を開始しました（HM Government, Cabinet Office 2012.）。この取り組みは、保健省での「成功」を受けたもので、公共サービス改革の一環として位置づけられています。

「この公務員のスピン・アウトによる社会的企業は、しばしば『労働者所有』の形態をとる。連立政権では、その発足当初から公共サービス改革の一環としてその担い手として相互組合（mutual）、協同組合、社会的企業、チャリティに対して大きな期待を寄せていた。内閣府内に『Government's Mutual Team』を設置し、政府省庁をあげて公共サービスにかかわる社会的企業の支援に乗り出した。と同時に、政府からは独立したPublic Sector Mutualの研究機関として、Mutual Taskforceを設立した。このほか、内閣府では、Public Sector Mutualを支援するために、Mutuals information ServiceやMutuals Support Programmeなどが展開されている。さらに、民間人のMutual Ambassador（大使）が任命され、公的セクターにおける社会的企業の認知を高める役割を果たしている」（中島 2015）と言われています。

まとめ

イギリスでは、社会的企業が政府の政策対象として明確に位置付けられたところに特徴があります。

第一に、社会的企業は、政府が掲げる政策を遂行する主体として期待されています。ブレア労働党政権発足以降、社会的企業に対しては、社会的・経済的包摂、近隣地域（ネイバーフッド）再生・都市再生を含めた幅広い政策課題への対応が期待されていました。

第二に、「社会的企業市場調査・全国調査」以降は、公共サービスの担い手としての役割が強調されるようになりました。保健省による「社会的企業ユニット」の設立もあり、公共サービスという公益的活動を担いつつ、市場取引や投資的資金の活用といった民間手法を取り入れる社会的企業の性格が、重視されるようになりました。

第三に、イギリスの社会的企業政策は、当初、当時の貿易産業省（DTI）によって担われ、また、その法制度として設立されたコミュニティ利益会社（CIC）制度は会社法の一部であったように、外形上は企業（会社）からのアプローチがなされました。

第四に、一方で、実際には、社会的企業の多くはチャリティであり、また、産業節約組合（IPS）といった協同組合形態の社会的企業もあり、ここでも社会的企業の多様性が表れています。イギリスの社会的企業は、コミュニティ利益会社（CIC）に代表される起業家的イニシアティブだけではなく、伝統的チャリティの企業化・事業化、あるいは労働所有企業や相互組合（mutual）に見られるような利害関係者の参加や民主的意思決定の担保など、様々な性格を持った事業体の総体として捉える必要があります。

注

1）ACEVOによれば、「acevoのミッションはNPO セクターのリーダーを繋ぎ、能力開発し、代表することである。acevoは現代化された事業体である」と述べています（acevo 2007：7）。ちなみに、イギリスに倣ったJA-CEVO（日本サードセクター経営者協会）のホームページでは、JACEVOとは「特定非営利活動法人から各種公益法人、任意団体、協同組合、社会的企業までを含むサードセクターの経営者が分野や制度の壁を越えて横断的に集う日本で初めての全国組織である。本協会は、サードセクター組織の経営者に対して、お互いに経験や意見を交流することで親睦と連携を深める場と機会を提供し（つなぐ）、自らの経営者としての力量を向上させ次世代の経営者を育てることを支援し（伸ばす）、サードセクター経営者の集団として政府・行政や社会に対してセクターの存在価値を主張しさまざまな提言を行う（提言する）。本協会は、このような活動を通じて、従来、政府・行政（第一セクター）や企業（第二セクター）に比べて力量が乏しく社会的存在感が小さかった日本のサードセクターを名実ともに確立し、三つのセクターがそれぞれ適切な役割を果たす多元的な社会を実現することをめざす。そうした社会においてこそ、市民は、主権者、利用者、消費者としてだけでなく、生産者、活動者としても社会的役割を担い、発言力を行使することができると確信する」と述べています。

2）日本語訳に、財団法人生協総合研究所（2005）（「社会的企業とは何か――イギリスにおけるサード・セクター組織の新潮流」）があります。内容は、「刊行にあたって」川口清史、「第１章　イントロダクション」藤井敦史、「第２章　社会的企業の理解のために」清水洋行、「第３章　協同組合」山口浩平、「第４章　ソーシャル・ファーム　」荒川祥子、「第５章　従業員共同所有」山口浩平、「第６章　クレジット・ユニオン」重頭ユカリ、「第７章　開発トラスト」北島健一　、「第８章　媒介的労働市場会社」荒川祥子、「第９章　ソーシャル・ビジネス」畠山正人、「第10章　コミュニティ・ビジネス」藤井敦史、「第11章　結論」清水洋行。「付録　a）法的構造、b）財政構造、c）用語集、d）参考」があり、そして「解説」を北島健一、藤井敦史、清水洋行が執筆しています。

文献

ACEVO（http://www.acevo.org.uk/）.

ACEVO , *acevo Impact Report 2005/06*, 2007.

Cabinet Office, gov UK, *Building a stronger Civil Society: A Strategy for Voluntary and Community Groups, Charities and Social Enterprises*, 2010.

Cabinet Office, Strategy Unit, *Private Action, Public Benefit: A Review of Charities and the Wider Not-For-Profit Sector*, Strategy Unit, Cabinet Office, 2002a.

Cabinet Office,Strategy Unit, *Private Action, Public Benefit: Organisational Forms for Social Enterprises*, Strategy Unit, Cabinet Office, 2002b.

Cabinet Office, Social Enterprise: Market Trend, Cabinet Office, 2013.

Department of Trade and Industry, *Social Enterprise: Strategy for Success*, DTI, 2002.

Department of Health, *Our Health, Our care, Our Say*, Department of Health, 2006.

Department of Health, *Making Quality Your Business: Guide to the Right to Provide*, DoH, 2011.

DTI, *Social Enterprise: Strategy for Success*, 2002.

gov.uk（https://www.gov.uk/charities-and-tax/tax-reliefs）

HM Government, *Open Public Services 2012*, Cabinet Office, 2012.

HM Treasury, *The Role of the Voluntary and Community Sector in Service Delivery: A Cross Cutting Review*, HM Tresury, 2002.

JACEVO（https://jacevo.jp/）.

National Audit Office, *Establishing Social Enterprise under the Right to Request*, NAO, 2011.

NCVO, *The UK Civil Society Almanac 2014*, NCVO, 2014a.

NCVO, *Together We Make a Bigger Difference: NCVO Strategic Plan 2014-19*, NCVO, 2014b.

Social Enterprise UK, *Fightback Britain: Findings from the State of Social Enterprise Survey, 2011*, London: Social Enterprise UK, 2011.

Social Enterprise Unit, Department of Health and Social Enterprise Coalition, *Social Enterprise-Making a Difference: a Guide to the Right to Request*, 2008.

Social Enterprise London, *Introducing Social Enterprise*, SEL, 2001

Social Enterprise London, *Social Enterprise in the 3rd Sector*, SEL, 2006a.

Social Enterprise London, *Introduction Social Enterprise*, SEL, 2006b.

Teasdale, Simon, "What's in a name? The construction of social enterprise", *Third Sector Reserch Centre Working Paper46*, 2010.

小磯明『イギリスの医療制度改革――患者・市民の医療への参画』同時代社、2019年。

財団法人生協総合研究所「社会的企業とは何か――イギリスにおけるサード・セクター組織の新潮流」『生協総研レポート』No.48、2005年11月。

中島智人「第４章　社会的企業とチャリティ　4.1 社会的企業」公益財団法人公益法人協会『2006 年英国チャリティ改革後の変容調査　報告書』2015 年 4 月、pp.193-204。

Ⅱ　イギリスの社会的企業と地域再生

第3章 高齢者ケア Age UK Lewisham and Southwark Stones End Day Centre (ロンドン)

1　利用者の費用とアセスメント

Age UK

私たちは、2015年11月3日午前、ストーンズ・エンド・デイセンターを訪問しました（写真3-1）。ストーンズ・エンド・デイセンターはエイジUK（Age UK）というチャリティ団体に所属しています（写真3-2）。ルイシャムとサザーク（Lewisham and Southwark）という地区に所在する団体です。デイセンターは高齢者が日々を過ごすためにやってくる施設です。デイセンターは、元々はボーダフォンの会社だったそうですが、建物をカウンシルにドネーション（donation：寄付、寄贈）しました。つまり、「ここをもし利用するのならどうぞ」ということで、無償でした。

イギリス全土に150のエイジUKがあります。それらは独立しています。同じ名前とブランドを共有していますが、独自に運営されています。ルイシャムとサザークというところには、約30万人の市民が生活しています。ただストーンズ・エンド・デイセンターはサザークのみにあります（写真3-3）。日本に比べると高齢者の人口に占める割合は少なくなっています。私たちを出迎えてくれたのは、エイジUKのミカタ，クリスさん（Mikata, Chris）（写真3-4）と日本人ボランティアのまり子さんでした。

ストーンズ・エンド・デイセンター

ストーンズ・エンド・デイセンターは、1984年に地区カウンシル（District council：区議会）がオープンしたデイセンターです。2001年にエイジUKがデイセンターを受け取りました。オープン当初はここに来たいという60歳以上の高齢者はすべて受け入れま

写真 3-1　Stones End Day Centre の看板

写真 3-2　Age UK Lewisham and Southwark の看板

写真 3-3　デイセンターの外観（手前の建物）

写真 3-4　ミカタ，クリスさん

した。しかし時代を経て、「誰でも高齢者なら」という枠組みがどんどん厳しくなってきて、現在は限られた高齢者のみのセンターとして使われています。

2011年からは、予算がだいぶ厳しくなってきました。地元のカウンシルで認定された人のみがこちらを利用できるというように使い方が変わってきました。カウンシルにも予算がありますから、誰でも受け入れるということではなく、うまく予算を使っていきたいということもあり、最近では傾向としてデイセンターに入れる人たちは介護施設に入る一歩手前、つまり、介護施設に入らなくてもいいような人は、こちらで受け入れてもらえたらいいな、という使い方をされる傾向にあります。

月曜日から金曜日まで、1日当たり30人、トータルで80人のケアをデイセンターでしています。自宅からデイセンターまでの搬送もデイセンターがやっています。センターに来た後は、アクティヴィティを色々計画してそれをやって、温かい昼食を食べて、それからまた自宅まで搬送します。全員ではありませんが、大部分の人たちは認知症状をわずらっています。またメンタルの部分で何らかの障害のある人、身体的に不自由のある人もいます。最年長は97歳です。

利用者の費用

利用者の費用はどうなっているのか。デイセンターを利用する人たちは、この地域のカウンシルから介護が必要だという認定を受ける必要があります。それを受けた後、その人の資産や経済的なバックグラウンドを調査して、払える能力があるかどうか、査定が行われます。その人が2万3,000ポンド（416万3,000円。1ポンド＝181円で計算）以上のお金をもっているなら、デイセンターに来てもいいので、「費用をお支払いください」ということになります。

それ以下だけれども定期的に年金などが入ってくる場合には、「一定の金額を負担してください」ということになります。その人がどれだけの収入があるかで決まります。イギリスには国民年金がありますが、収入が国民年金のみで貯蓄が6,000ポンド（108万6,000円）以下の場合は、無料で使えます。

どれくらいのコストがかかっているかというと、1人当たり費用は45ポンド（8,145円）ほどかかっています。2万3,000ポンド以下の貯蓄しかない中間層の人たちで、定期的な収入のある人達は1日だいたい5～30ポンド（905～5,430円）くらいの負担金がかかります。

ただ昼食は例外です。ストーンズ・エンド・デイセンターで出している昼食には4.5ポンド（815円）のコストがかかります。これはカウンシルでは払いません。なぜかというと、その人が家に居たらその費用を自分で工面しなければいけないからです。ですからこれは全員が払います。

利用料は高いですが、カウンシルがすべてのことをやろうとすると、もっと高くついてしまいます。カウンシルのスタッフの費用、年金、ナショナルチャージなど色々あるので、デイケアセンターを外注した方が安上がりです。カウンシルでもコストを検討します。デイケアセンターではなく、実際に寝泊まりする介護施設とコストを比べて、コストパフォーマンスのいい方を採用しています。たとえばケアホームの施設に入ると、ロンドンでは1週間当たり500～700ポンド（9万500～12万6,700円）の費用がかかります。それは部屋代です。ケアホームに入れてしまうよりも、こういったデイセンターに週に2～3回、カウンシルが費用を出してでも高齢者を過ごさせた方が費用は安く済むわけです。そして、デイセンターに来ない日は、在宅での看護のサポートもできるわけです。

利用者のアセスメント

財産の評価は、高齢者の息子などの家族まで及ぶことはありません。家族ではなくて、その人の個人財産の評価ということになります。人によっては自分のためにあまり貯蓄しないとか、お金の流れは色々あるようです。

認知症やメンタルの問題がある人もいますが、認定の基準はその人が独立した生活を送れるかどうかにかかってきます。医学的基準ではありません。たとえば、その人が独立した生活ができるかどうかを基準の目安として、ひとりでいても大丈夫かどうか、風呂に入れるかどうか、着替えがひとりでできるかどうか、または食べ物をつくっているときに火を使ったりする場合、火がついていることを忘れてしまって、その人に危険が及ばないかどうか。そういったことを具体的にアセスメントします。

その人のことをトータルでみます。たとえば家族関係がどうなっているか、その人たちが世話をするタイミングがあるかどうか。デイセンターに来るのに、週に1～2度ということもあるわけです。80名のエントリーで1日30名の利用者ですが、ひとり平均何回くらい利用しているか正確にはわかりません。人によって全然違います。5日間毎日来る人もいれば、週に1度来る人もいます。だいたい1週間に2～3回が一番多いようです。個人個人をアセスメントする時に、その人のニーズを捉えるようにしています。ニーズによってケアの仕方が変わってくるからです。たとえば徘徊する人たちには、腕に付けるタイプの検知器（GPS）が役に立つ場合もあります。

個人個人でアセスメントはしますが、その人たちはチームで複数います。カウンシルの中のソーシャルワーカーが、アセスメントするのは利用者一人ひとりです。

ソーシャルワーカーがアセスメントする

資産の調査や介護の必要性の調査は、日本では専門の介護の必要度調査をする自治体から委託を受けた人がいます。イギリスではどのように調査しているでしょうか。地方自治体に勤めているソーシャルワーカーがします。8項目を見ることが決められています。例を示すと、「お腹が空いたときに自分で食事を採ることが出来るかどうか」「病気になることを防げるかどうか」「たとえばお風呂に入ってきれいに自分自身を洗うことが出来るかどうか」「徘徊などが原因で、自分に危険を及ぼすことがないかどうか」。というように、リスクアセスメントと考えればいいと思います。こういった項目が8項目、国で決められているそうです。地方自治体で働いているソーシャルワーカーが、それを担っているので、国の代わりにアセスメントすることになるわけです。

ファイナンシャル調査も同じです。ソーシャルワーカーというのは医学の知識があるわけでも、また経済の知識があるわけでもありません。その人たちのする仕事がそういう仕事というわけです。ソーシャルワーカーという立場がここ数年変わってきました。以前はソーシャルワーカーというと、介護する人と出会うことが主な仕事でしたが、最近では国や地方自治体が提供するサービスの門番のような役目をして、どの人がサービスを受けることが出来てどの人がだめなのかという査定まで入って来ました。そうした変化にともなって、経済的な知識も増えてきたわけです。

利用者の移動

80人の利用者がいますが、その内入れ替わるのは年間何人くらいでしょうか。利用しなくなるとか、ホームに入ってしまうとか、そういう移動です。利用者の何人かは30年くらいこのデイセンターを利用しています。たとえば60歳くらいでここに来はじめて、現在90歳という人もいます。そんなにたくさんではありませんが、そういった人もいます。ただほとんどの場合、「このホームに行ったほうがいい」と紹介を受けて、見学に来ても実際は来なくて、後になって「病院に入ってしまった」とか、「亡くなってしまった」とか、最初の第一歩を踏み出さない人もかなりの数に上るそうです。正確な数字を出せませんが、昔から来ている人たちは簡単にここに入れたという人たちですから、自分たちでドアを開けて入ってくることが出来た人たちです。ですからその人たちは長くここを利用することができています。最近ではここに入ること自体が難しくなってきているので、その段階で個人的に自分では移動できないとか、あまり長生きできそうにないとか、そういう人たちが増えて来ていますから、新しい人たちほど次への移動は早いと考えられます。

2　アクティヴィティとスタッフ

アクティヴィティ

早朝になると、デイセンターに高齢者の人たちが到着します（写真3-5、3-6）。そして午前中のアクティヴィティに移る前に、トーストとお茶などを楽しみ、そのあとに2つのアクティヴィティを行います。そして温かい昼食の後、また2つのアクティヴィティがあります。その後、家に戻すといった流れです。

午前中には体を使うアクティヴィティを持ってくる場合が多いです。また人によっては動き回ることが難しい人も多いので、椅子に

写真3-5　デイセンターの玄関

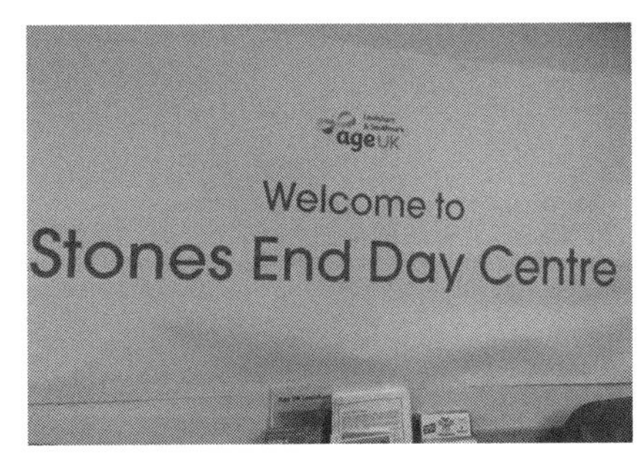

写真3-6　玄関の出迎え

座ったままできる体操など、各自がとりあえずできる方法で体を動かします。午後には疲れてしまって動きたくない人たちも出てきますから、午後には体を使わないアクティヴィティが設けられることが多いです。たとえばキリスト教の人たちがお祈りをしたり、旧約聖書を読んだりするような、宗教上の自己を振り返るようなアクティヴィティもあれば、またエスニックグループの集まりでは、その人たちが興味深く討論できるような時間を設けたりするなど色々です。

もうひとつアクティヴィティの部屋がありました。たとえばボードゲーム、机の上でできるゲーム、音楽を聴くミュージックセラピー、ビンゴなど色々なアクティヴィティが行われます。週に1度はいつもはやらないことを採りいれたりします。シティファームといって、都会の中で農場体験をする、自然に触れ合うというアクティヴィティもあります。私たちが訪問した前の週は、街の中の美術館に行ったそうです。このように、アウティング（outing, 外出すること。散策すること）も含まれます。メンバーに「どんなことをしたいかぜひ意見を出してください」と言って進めていますが、出されるアイディアが実行されることはあまり頻繁にはないそうです。

近くに住んでいるマスターの学生がリサーチをしにきました。彼女が「どんなアクティヴィティがいいのですか」と高齢者の人たちに色々質問したそうです。ところが返ってきた答えは「アクティヴィティは何でもいいんです。ただし、私が嫌なときは参加したくないという意思表示ができるのであれば」というものでした。

スタッフ

送迎は、ミニバスを利用します（写真3-7）。送迎のときにはミニバスの運転手以外に、エスコートとしてひとりが付き添います。送迎が終わると、その人はデイセンターで働きます。付き添いの人は3人います。中核になる人間は3人と考えてかまいません。クリスさんもほとんど日中はデイセンターにいることが多いですし、またコーディネートしてくれる人たちもいます。忘れてはいけないのがボランティアの人たちです（写真3-8）。普通は、ディスクワークしている人たちも含めると10人くらいが仕事をしていることになります。看護師はいません。

ボランティアの人たちを雇い入れたり、その人たちをどこに配置したりするか、ボランティアとデイセンターのコーディネートをする人がいます。Age UK Lewisham and Southwark に雇用されているわけではなく、パートタイムでデイセンターに雇われる形です。プロジェクトが特別にある場合は、それぞれのコーディネーターが別に必要になります。私たちの訪問時には誰もいませんでした。普通はそういったボランティアコーディネーターがボランティアを雇用したり、色々な配置やプランニングをしたりするわけです。クリスさんがここに来た時は、そういったコーディネーターをクリスさん自身がしていたそうです。それにあまりにも多くの時間が取られるようになったので、ある企業が提供してくれた資金を使ってボランティアコーディネーターを雇うことができました。今はその人がコーディネーターの仕事をしています。

その人たちは、有資格者とか大学卒の介護福祉士などではありません。コーディネーターとしての資格もありません。大学でコースとしてボランティアに関することや、地元の開発のことや、色々なコースは用意されているのですが、それが必要な資格ではありません。トレーニングはもちろん行なっています。

写真 3-7　送迎用のミニバス

写真 3-8　ボランティアの人たち

NBQレベル

コーディネーターではなくて、スタッフとして働いている人の資格はあることはあります。10年くらい前の話になりますが、政府からこういう社会的団体に働く人たちはNBQという資格があって、NBQ何レベルで何ができる、と決まっていました。ソーシャルサービスのNBQレベル3以上をもっていることが政府の指針として発表されたのが10年くらい前です。

NBQレベル3以上をもっている人が、こういう場所で働くべきだという指針はあったのですが、実際には介護ホームとデイセンターというのは全く違う素質が求められるわけです。ホームの方はケアクオリティコミッションという団体が査定に入るわけです。そういった人たちが実際に足を運んで、そこでどういったことが行われているか、クオリティの調査があります。たとえばそういった場所のマネジャーになると、NBQレベル3ではなく、マネジャークラスはNBQレベル5が必要であると考えられています。デイセンターは、そういった必要性がないために、誰も査定には入りません。そういうことで、高学歴の人を雇う必要はありません。このデイセンターのスタッフの半分はNBQレベル3をもっています。

原因の一つは、デイセンターがスタートした時には、誰でも来ていいという、そういった場所だったことです。ですからそこで必要な資格はそれほど厳しくなかったことに由来します。法的な規制の方が後を追いかける形になっていて、現在ではデイセンターに求められる素質が日々高まってきていて、法的な規制の方が追いついていない状況です。ですから、今はある程度の素質を持つ人を雇う必要性を感じています。

子が親の介護をするわけではない

日本では親の介護をするために子どもが会社を辞めて、親の年金で介護して生活しているケースが少なくありません。そういうことはイギリスでもあるのでしょうか。年金で生活できるくらい年金をもらっているならそれはいいことです。しかし、イギリスの国民年金額は低く、1週間150ポンド（2万7,150円）です。だからとても家族で生活することなどできません。

でも日本では1カ月が3万円弱ですから、どうやって生活するのでしょうか。日本は国民年金以外の年金がありますが、イギリスではそういったものが少ないです。もちろん何人かはそういう年金をもらっている人たちがいます。ただし、サザークとかルイシャムではそう多くありません。サザーク、ルイシャムはいいところですが、それだけお金があると引退すると、もっといいところに引っ越してしまいます。

ロンドンの特徴ですが、現在ロンドンで生活している人の3分の1はロンドン以外の所で生まれて、ロンドンに引っ越して来た人たちです。またそれ以外の3分の1の人たちは、現在まだここには住んでいない人たちです。これは、ロンドンは人の移動率が高いということです。だから家族が全く手の届かないところ、外国に住んでいることも少なくありません。ロンドンに生まれて、今でもここに住んでいるそういった人たちは全体の3分の1にすぎません。そのうちのだいたいどれくらいの人たちが家族に面倒を見てもらっているかという数字は残念ながらありません。この国では普通は子どもというより妻や夫がパートナーの面倒をみるということが多いです。

リビングウェイジ

ロンドンにはリビングウェイジというものがあります。リビングウェイジとは、最低賃金とは別に、「これくらいないと生活できませんよ」というレベルの給料のことです。25歳以上の人のリビングウェイジは、1時間当たり9ポンド40セント（1,700円）です。最低賃金が6ポンド40セント（1,158円）なので、差があります。現在のところ最低賃金は法律でそれ以上払わないといけないという拘束力があります。リビングウェイジは2016年から拘束力があるのですが、当時はまだボランタリーベースでスタートしたままでした。

ですから、エイジUKでもリビングウェイジの給与を払うということです。年間1万9,000ポンド（343万9,000円）です。ロンドンで働く中間層のナースだと3万ポンド（543万円）くらいの給与を払います。

ケアホーム

介護施設はケアホームです。ケア・アット・ホームというと、自宅に呼ばれたら行くという意味です。ケアホームは公的な施設もありますが、90%以上はおそらくプライベートホームになります。ケアホームをオープンするのに特に資格はいりません。だから極端に言えば、「はい、今日からここがケアホーム」などということも可能です。ケアホームに入居する際のアセスメントは、デイセンターに来る人をアセスメントしたのと似たアセスメントがあります。その内容のひとつに含まれるのが、「家を持っているかどうか。また家の価値がどれくらいか」ということです。たとえば持家の場合は、その人がケアホームに入ったとしても、家族がまだ住んでいる場合があります。ですからその人が亡くなった後、家を売った値段のうち、部分的な費用を徴収する制度もあります。現在の高齢者の人たちの特徴のひとつが、あまりお金は持っていないけれども家屋があるというケースが多いです。ケアホームを運営していくにあたり、やはりそういったプライベートの客というのはチャージを高くとることができるので、ケアホームからするとそういう個人の客のほうがありがたいわけです。

たとえば、カウンシルがお金を出してそこに送り込んでいる高齢者の人たちが40%、そしてプライベートでそこを利用している人たちが60%くらいだとすると、60%の人たちが高いお金を払ってくれているおかげで、カウンシルが払いきれない分をちょうどくらいにもっていくことができるので、運営はうまくなりたつということもありえるわけです。

3　デイセンターの運営

デイセンターの運営資金

ストーンズ・エンド・デイセンターの運営資金はどれくらいでしょうか。年間で40万ポンド（7,240万円）です。これは、デイセンターの運営費用ということで、エイジUKの費用ということではありません。この運営資金がどこから支払われてくるかというと、センターを利用する人たちの利用費が主な収入源です。ここを利用する人は45ポンド（8,145円）のコストがかかっています。たとえばある企業が「スポンサーをします」というと、それもその中に含まれます。その中に足されるわけです。たとえばミニバス、これはいつも必要としているものですが、1台欲しいとなると、3万5,000ポンド（633万5,000円）必要になります。そうすると企業に行って、「お金をだしてくれませんか」と打診をするわけです。たとえば「ボランティアのコーディネーターの給料をだしてもらいたい」となると、それは毎年更新しないといけないので、また企業にお願いに行くわけです。

ここの施設を利用する上でカウンシルの認定を受けなければならなりませんが、カウンシルは認定をするだけでお金は出しません。だいたい7年前から始まったシステムですが、45ポンド（8,145円）というのは誰もが支払う金額です。その45ポンドをソーシャルサービスの人から受けとって、それをデイセンターに払うという人もいれば、部分的に自己負担がある人もいるということです。ですから45ポンドがすべてソーシャルサービスの場合もあれば、半分半分の場合もあって、それらすべてがデイホームの収入になっているわけです。この費用のことをパーソナルバジェットと呼んでいます。

パーソナルバジェット

その人がパーソナルバジェット、つまり自己予算というものをもらって、その人のニーズに合った方法で使うことができます。それを自己管理できる人ならいいのですが、高齢者や認知症の人など、色々な原因で自己管理できない人たちにとっては、このパーソナルバジェットがうまく機能しない場合が多いです。たとえばパーソナルバジェットが、その人の預金に振り込まれます。それを口座からデイホームの口座に移すという流れになります。私たちの訪問時でいえば、3人くらいがその方法をとっていて、家族が「そうしましょう」と決めたということでした。

ほとんどの人たちは、カウンシルがデイホームに支払うという前提なので、直接ここにお金を入れるそうです。カウンシルがデイホームの運営に関して、「これだけ予算をさあどうぞ」というわけではなくて、パーソナルバジェットという、いったんカテゴライズされたお金が入ってきます。ですから、デイホームに来られる高齢者の人の数が減ってしまうと、収入が減ってしまうことになります。またカウンシルのほうが「こちらのほうに来た方がいいです」と査定をしてくれないと、お金がなくなってしまうわけです。

利用者とGP・セラピストとの関係

80人の利用者とGP（General Practitioner, 家庭医）との関係はどうなっているのでしょうか。この施設とGPとの関係はあるのでしょうか。この国で生活している人たちは普段からGPに登録しています。ここに来ている人たちも担当のGPがいるわけで、デイセンターとGPが直接コミュニケートをとるのは非常に稀です。たとえば何か問題が起こった時に、そのGPに連絡して、「ちょっと、何々さんの問題なので、ナースを一人寄越してくれますか」と電話をすることはありますが、そういう感じです。この国では、医療チームとソーシャルワーカーというのは別々の職種と考えられています。

しかし現在では、医療と介護は近寄りつつあります。たとえば地方自治体からプロジェクトということでお金がおりることがあります。それはどういうことをするかというと、このデイセンターで行われるリサーチなどはプロジェクトであって、このデイセンターの運営とは別の話です。エイジUKにプロジェクトということでおりてくるわけです。

GPに行くのは社会的な目的（ソーシャルパーパス）で行く人たちもいます。必ずしも医療面の必要性があってGPに行くわけではなく、社会的な目的です。たとえば一人暮らしをして寂しい生活をしている高齢者がいるとします。その人が必要に応じて病院に行くことになると、そのときにかかる費用が見込まれるわけです。それよりは前もってこういったデイセンターでサービスを受けたり、もしくは誰かがその高齢者を訪問したりすることで、変化に気づいて予防をしたほうが安上がりだという経済的な理論が働くわけです。

セラピストの種類でいうと、身体的なセラピストはこのデイホームにはいません。アーツ・アンド・クラフトや手芸や工作や音楽といったセラピストはアクティヴィティの一環として、ここでクラフトを持ったりします（写真3-9）。身体的なセラピストを持つことになると、やはりかなり広い場所が必要になるからです。クリスさんは、「このビルを見るとおわかりになると思いますが、30年前に作られた小さなものなので、実際は場所がないこと大きなネックになっています」と言いました。

写真 3-9　セラピールーム

サードセクター

コミュニティ・エンゲージメントについては、大学にそういうコースがあるのでしょうか、どんな内容なのでしょうか。また、カウンシルとの関係は契約や入札などといったものがあるのでしょうかないのでしょうか。カウンシルから来る人が40%、プライベートが60%、プライベートのカウンシルのように審査基準があるのかどうかについて、最後に聞きました。

ひとつ目のコミュニティ・エンゲージメントについて。まず日本とイギリスとの違いですが、ボランティアという観念がまず違います。イギリスではボランティアを考えると、通常専門職のある人達が自分のキャリア形成のためのステップとして踏む場合が多いです。ですから第3セクターと呼ばれたりするのは、そういった由来もあります。たとえば本来ならば国や地方自治体が運営すべきものですが、国や地方自治体が運営するよりも、第3セクターに委託してしまったほうが費用面でコストが安く済むというのが特徴のひとつです。そういったコースの内容というのは、そういう団体をどのようにつくりあげていくか、また規制するか、そういった内容が含まれると思われます。

「これは私の個人的な意見ですが」と前置きしてクリスさんが言いました。「こういったコースを取る人たちは普通セカンドテアー（2番目の領域）に属する人たちが多くて、この人たちはほかのボランティア団体をサポートするような仕事、たとえばそれがコミュニティであったり、ほかのボランティアであったり色々ですが、中間層のリングの役割をするような人たちが多いようです。2番目のテアーに対してファーストテアー（最前線）というものがあります。それは私たちのように実際にサービスを提供する団体のことです」。最前線のサポート、たとえば「資金の調達はこんなふうにしたらいいとか」「経営はこんなふうにしたらいいとか」、そういったサポートを裏方でやるのがセカンドテアーといったグループになります。サードテアーというのは何かというと、この国でボランティアをしている人たちの国レベルの団体になります。ボランティア団体と国の中間のリンク役というのが特徴になります。

デイセンターの視察

2人のスタッフは看護師になるための研修中だそうです。色々なところで研修をしているとのことでした。スタッフのイザベラさんに「写真を撮りたいがいいか」と聞くと、OKの返事が返ってきました（写真3-10）。

ボランティア

ボランティアのまり子さんに聞いてみました（写真3-11）。「何でここでボランティアやっているのですか」と。「やっぱりイギリスに興味があることと、夫が企業の駐在員でついてきた。観光的なイギリスではなくてもっと本当のイギリスを見たいんだということです」。普通にテレビなどで見るイギリスではなくて、他の人がどういうことを考えているのか、何でここにいるのか興味があったそうです。あとは自分もイギリス社会にお世話になったので、社会にお返ししたいと思ったそうです。ボランティアの方は学生が多く、話しているのもとても面白いしためになるとも言いました。

「昔、弁護士をしていた人とか、ボランティアの人たちは面白いです」ともまり子さんは言いました。看護師の研修の他にも、コミュニティソーシャルワークの勉強をしたいので、ボランティアしている人もいるし、医師になりたいけれども、とりあえずここでボランティアしている人もいます。15歳で、学校の授業でワークプレ

写真 3-10　スタッフとボランティア

写真 3-11 クリスさんとまり子さん

写真 3-12 ストーンズ・エンド・デイセンターの中庭

イスメントとしてここで１週間くらい働いている人もいて、色々な人がいます。

色々な人たちがいるので「生のイギリスが楽しめます」とも言いました。まり子さんは、１年ちょっとボランティアをしているそうです。住まいはテムズ川の近くです。ここでは週に１～２日ボランティアをしているそうです（写真 3-12）。

第4章　女性のための社会的企業　アカウント3（ロンドン）

1　設立目的

2015年11月初旬、女性支援のために設立された社会的企業、アカウント3を訪問しました（写真4-1、4-2）。「イーストエンドというところは大変豊かなところです。豊かさとは、お金の豊かさではなく、それは文化の豊かさです。とくに海外から移民の人たちを優しく受け入れている地域になります」。このように切り出したのは、私たちに対応してくれたアトゥシ，シェリファ（Atossi, Shérifa）さんです（写真4-3）。

最初に、アカウント3の簡単な歴史、そのあとで、一つひとつのプロジェクトの説明を受けました。

女性のためのコープとして20年前に設立

アカウント3は、女性のためのコープ（coop）として、20年前に設立されました。特に、東ロンドンに住んでいる女性の問題、社会的な問題をコミュニティに伝えて、そしてそれを理解してもらうということ、それがアカウント3の目的のひとつです。

最初に始まったときには机が1つ、電話線が1本という、大変小規模なスタートでした。それから徐々に拡大していき、現在借りているオフィスになりました。

アカウント3では、制度としてはコープの制度を取り入れています。ですから、ここで働いている人たちは、アカウント3の運営に関して、色々な意見を出すことが出来ます。ただしそういう立場になるには、2年間雇用された後からになります。そしてボードミーティングで、色々な運営に関する重要な決定をしています。シャーという女性がこのチェアを務めていて、メレデュー，トニー（Mere-

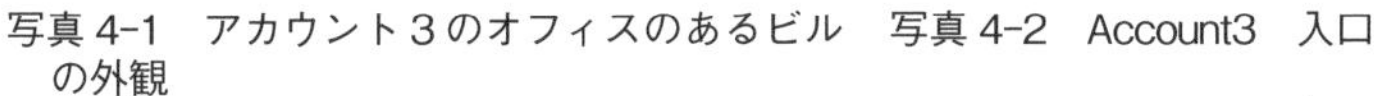

写真 4-1　アカウント3のオフィスのあるビルの外観

写真 4-2　Account3　入口

写真 4-3　アトゥシ，シェリファさん

dew, Toni）さんがこちらのセクレタリーを務めていますが、彼女は現在外国にいます。ボードのメンバーは現在アカウント3で、シニアでトレーニングを担当している人達も含まれていて、訪問した日はその人たちがちょうど授業を行っているところでした。

一番大きな問題は言語の壁

東ロンドンというところは移民のたいへん多いところで、比較的貧しいエリアと言われています。そうした背景があるために、ここに住んでいる女性は、いつも荷物を抱えている状態です。その荷物というのは、靴とか服とか具体的な荷物ではなく、社会的な荷物を抱えているという事です。「何かをする時に邪魔になることを考えてください。そういった女性の問題を解決するために、このアカウント3は設立されました」とアトゥシさんは言いました。

問題点を的確に把握するために、何が必要かを考えました。そう考えたときに、一番大きな問題は、言語の壁であることに行き着きました。言語の壁が崩れないことには、つまり、言葉ができないことには就労もできません。またそういったことが引きがねになることで、自信を失うという問題にもつながっていきます。ですから、そういった女性特有のこの地域の問題点を見極め、それに対応する必要が出てくるわけです。

そこで、最初は、そういった移民の女性たちに対する英語の教室をもつことから始まりました。そして雇用されることに必要なスキルを身に付けるためのトレーニングにも力を入れました。言葉が出来るようになって、職業的なスキルを身につけて、そしてその次に出てくるのはその個人個人がもっている自信という事です。自信を高めるためのクラス、そういったものにも力を入れています。

子どもを抱える移民たち

移民の中には子どもを抱えている人たちもいるわけです。ほとんどの女性が、その子どもたちの養育、またケアというものも、普段の生活で必要に迫られているわけです。ですから雇用される場合は、そういった子どものケアができる団体であるとか、またそれに見合ったような制度も、雇用の場合に必要不可欠な要素となっています。

子どものケアが付随している雇用体制に、ずいぶんと人気が集まるようになっています。子どもの数も一人二人という人たちもいれば、ソマリア人の場合には多く、6人から7人という子どもを抱えている人たちも多いです。

アカウント3では、そういった子どもたちのケアの仕方というコースを設けました。このコースを終了すると、そのスキルがあるということで、「子どもケア」という職業に就くことが出来ます。

こういった動きによって、二つ成功した事柄があります。まず、この地域の女性が雇用を得たということがひとつです。そしてそういった人たちの働き先が学校だったりするわけです。しかし、この国の方針の一つに、学校に働くスタッフというのは、そのエリアの人口の比率、人種の比率に見合ったものでなければいけないというポリシーがあります。ですから学校側、雇う側としては、そういった地元の人たちを雇うことができる、またそういった人たちがバングラディッシュとかソマリア、また西アフリカ、そういった各地から来ているということで、学校自体の雇用プログラムに国の方針を照らし合わせて、ポイントが高くなるという利点がありました。ですから雇用する側と雇用される側の両方がプラスのことを、この雇用の制度で導くことが出来たわけです。

女性のためのドライビングスクールを設立

すべての人たちがプラスに動くという、とてもいい制度でした。女性がこれによってプラス面を得たということ、それから学校などのコミュニティが、それによってプラス面を得たということ、そして子どもたちもそれでプラス面を得ているわけです。

自信をつけた女性が、他の女性とアカウント３で出会うことで、コミュニケーションが図られます。そしてそのプラス作用のおかげで、また新しいアイディアにつながっていくわけです。ビジネスアイディアです。

色々なアイディアが生まれてきたのですが、「このアイディアをお話しする時に、みなさんは20年前の話だと想像してください。今とは違う社会的なバックグラウンドがあります。アイディアのひとつは、女性のためのドライビングスクールを設立するということでした。日本と違って、イングランドでは教習所には通いません。ドライビングスクールといって、先生の車に一緒に乗って、それで実地をすぐにします。ですから、女性同士だとやりやすいといったメリットがありました」。

「想像していただきたいのですが、20年前にこういったことを始めたときに、女性が女性のための社会的な起業を企画したということで、コントロールをやっともったという偉大な成果という印象がありました。ということで、運転席にすわっているということが素晴らしいことなのです」と、アトゥシさんは言いました。

新しいベンチャー企業は100を超える

社会的企業として、アカウント３が関わったプロジェクトの初期のもののひとつで、その会社は今でも運営されています。アカウント３の役割というのは、そういった新しいアイディアが出てきた際に、それを夢から実際に実現させる点で、手助けができることです。そういった新しいベンチャー企業は、現在のところ100に上ります。ドライビングスクールを始めとして、たとえばウェブのデザイン会社であるとか、メディア、デザイナー、そしてヨガの先生とか、色々な企業が100を数えるベンチャー企業に含まれています。「たとえば、私自身も色々なアイディアが思いつくことがあるんですけれども、そういったときは個人的に理事長のメレデュー，トニーさんに直接話したりします」と言いました。そして、「このようなアイディアがあるんだけれどもどうかしら」と言います。そうするとメレデューさんは、「そんなのダメよ」と考えさせ不安にさせるような間をおかずに、「じゃあ、やりましょう」と能動的に行動してくれる人です。

私たちが訪問したときに、アトゥシさんの手伝いをしてくれたクリスティアンさんは、デザイナーとしてデザインの仕事をするお店を構えていました。「ということで、アカウント3に一度かかわると、別の仕事をしていても、ここがまるで自宅のように考えることが出来て、そのつながりは切れないわけです」。このようにアトゥシ，シェリファさんは述べました。

2　プロジェクトとコース

前節では、アカウント3の設立の目的と簡単な歴史について述べました。引き続き、アトゥシ，シェリファさんの説明から述べます。

「アカウント3が行っているプロジェクト、コースについての話です。20年の間に社会問題は色々な変化を遂げています。20年間いつも同じというわけではなく、色々な問題が出現したり消えたりしています。その中で最大の問題は、ファンド＝資金の減少ということです」と述べました。

タワーハムレッツ区は、金融街の金持ちが仕事をしている地域

「今、私たちがいるタワーハムレッツ区（London Borough of Tower Hamlets）という自治体は、大変ユニークな区です」と、アトゥシさんは言いました。そして、フリップチャート（欧米では会

写真 4-4　フリップチャートで説明するアトゥシ，シェリファさん

写真 4-5　カナリーワーフ

写真 4-6　シティ・オブ・ロンドンのマーク

写真 4-7　金融街のビル

議の際「フリップチャート」というものをよく使います）に地図を書き始めました（写真 4-4）。「これがテムズ川です、そして今私たちがいるイーストエンド・オブ・ロンドンというのは、こちら。これを拡大すると、こういった地図になるのですけれども、この真ん中がベスナルグリーン（Bethnal Green）です。そしてベスナルグリーンのこちら側にはカナリーワーフ（Canary Wharf）がありまして、これが第二の金融街（新金融街）と呼ばれているエリアです（写真 4-5）。リーマンショックの時に、ビルのたくさん立っているエリアをテレビで見たと思うのですが、その金融街のお金持ちの人たちが仕事をしている地域です。こちらがシティ・オブ・ロンドン（City of London）、本来の金融街（写真 4-6、4-7）、そのちょうど間にあるのが、このベスナルグリーンというところなのです」。

タワーハムレッツ区の中には、部分的に、シティ・オブ・ロンドン、金融街が位置するということで、世界のお金を牛耳っている部分です。億単位のお金が毎日動いている、そういったエリアです。そして、その第二の金融エリアを包括しているのがタワーハムレッツ区になります。

世界で一番金持ちの区なのに、42%以上の子ども達が貧困家族

「本来であれば世界の中でも一番お金持ちの区であるべきです。たくさん会社があってお金もみんなもっています。ところがこのタワーハムレッツ区というのは、ヨーロッパの中で一番貧しい区のひとつです。42%以上の子ども達が貧困家族に属しています。皆さんのなかで数学が得意な方は是非これを説明なさってください。世界的にも大変重要な企業がこれほどある区なのに、42%以上の子ども達が食べる物にも事欠くという理由が理解できません。私たちがいる場所というのは、アジアでもアフリカでも南アメリカでもないんです。大変憤りを覚える事実ですけれども、こういったことを考えると、非常に怒りが爆発するので、理解したくないというのが本当のところです」。このように、アトゥシさんは言いました。

ということで、私たちが訪問したアカウント３のあるタワーハムレッツ区は、まず子どもの貧困という最大の問題がある地域です。また失業率が高く、そしてアトゥシさんはここに住んでいてもそれほど怖いとは思わないそうですが、実際は犯罪率もかなり高い地域です。そういった地域なのに、政府からの色々な補助、社会的に向上心を持とうというファウンド（資金）が、減少の一途をたどっているといいます。

社会問題を解決するための法律家の助言と裁判

そういった社会問題を解決するために、アカウント３では、週に２回、法律の専門家である弁護士の人たちがここに来て、色々な問題の解決に当たるというシステムを確立しています。

どんな問題があるかというと、タワーハムレッツ区では大変に家賃が高額なために、それが払えないという事が起こっています（写真4-8)。そうした人たちへの福祉のアドバスとか、また失業して

しまった人たちへのサポートであるとか、そういった人たちに、法律家の助言が役に立つわけです。

給料が低いために、実際に使えるお金がまったくない状態という家族たちがたくさんいます。給料があがっていないのに、生活費は上昇の一途をたどっています。最悪の場合には、この国では寒い時に、二つの選択を迫られている家族が多くいます。

写真 4-8　家賃：週 750 ポンド（11.25 万円）→４週＝ 45 万円（1 £＝ 150 円で単純計算）

「このお金を食べ物にまわすべきか、それとも暖房のためにまわすべきか、そういったことで、精神的な深みに入ってしまう家族も多く見られる」とアトゥシさんは言います。そういったことがきっかけで、負のスパイラルに陥ってしまい抜け出せずに、立ち上がることができない人達も多く見られます。そういった人たちに対する法律的なアドバイスだけではなく、実際に裁判所に案件を持ち込む場合のヘルプも、アカウント３では行っています。

「イギリスは社会福祉が有名だったことをみなさんご存知かと思いますが、この国に住んで生活しているということで、色々な権利を人々がもっています。たとえば例をあげると、私が車椅子が必要だったとします。でも地域で使われる予算には限りがあるために、『あなたの権利はわかりますけれども、今予算がないために、あなたに車椅子を差し上げることはできません』というようなことが、往々にして起こりがちです。そういった個人個人のケースに対して、そこに弁護士が仲介して、その権利を守るということも、具体的な仕事のひとつです」。「それは例としてお考えください。実際にそれが起こったということではありません」。このようにアトゥシさんは言いました。

女性のリーダーシップコースとファーストエイドコース

もうひとつのプロジェクト、コースとして、女性のリーダーシップコースというものが、アカウント３には用意されています。これは女性が職業を得て、そこで経営に関わる一歩手前の職種についていると想像してください。その人たちがワンランクアップするのに役立つコースです。そこでは予算編成を学んだり、マネジメントを学んだりしています。

そういったコースを採ることによって、ひとつ上の職業に就くことが可能になります。また仕事に就くということ自体におじけづいている（躊躇している——小磯）女性のためには、自己開発のコースを用意しています。

ファーストエイドのコースも大変重要なコースのひとつです。ファーストエイドは緊急の際のコースですけれども、（心臓がとまっている人をみたらこうしましょうとか、呼吸の介護とか。ファーストエイドは日本でも通じますか？——通訳のバートリーみきさん）救急救命のコースをここで設けています。なぜ、これが必要かというと、子どものケアをしている職業では、こういったコースを採ったか採ってないかということが、大変重要だからです。こういったファーストエイドのコースを採ったという事が履歴書に書いてあると、やはり得点が高くなるということですし、また自信にもつながります。

仕事を探すことをサポートするプロジェクト

また、職業、仕事を探すことをサポートするプロジェクトというのもあります。これは仕事が欲しい人に、マンツーマンでアドバイザーがつきます。そして、どんな仕事どんなセクターにつきたいのか、またそのためにはどういったことが必要なのかという取り組みを、マンツーマンでずっと行ないます。それは雇用されるまでのサポートを含みます。

このプロジェクトには、たくさんのワークショップが含まれていて、たとえば履歴書の書き方であるとか、面接時のテクニック、そういった具体的なものが含まれています。

アカウント３にはたくさんのパートナーシップ企業があります。それらの企業と普段からコンタクトをとっているので、たとえば空きが出た場合に、そのポジションをこちらの仕事を探している人たちに紹介することもできます。また、普段からそういった企業との係わり合いがあるために、どういった企業がどういった人を探しているかを、前もって調べることもできます。そのためこのサービスは、女性だけでなく男性にもひらかれたサービスです。

有名企業というのは、その社会において色々なしがらみ、たとえばその地域の人たちとのネットワークを密にしなければいけないなど、社会的な義務を負っているわけです。そういった企業もアカウント3とのパートナーシップを組んでいます。

ですから、そういう企業の社会的な義務をまっとうするためにも、このアカウント3が役に立っているわけです。また公衆衛生などもこの範疇に入っています。パートナーシップの企業の幅が広いということ、そして職種の幅も広いということで、職が欲しいというたくさんの人に紹介することが可能になります。

3　社会的企業としての役割

前節は、アカウント3のプロジェクトはパートナーシップを組む企業の幅が広いので、様々な職種から仕事をたくさんの人に紹介できることを述べました。次に、アカウント3の社会的企業としての役割について紹介します。

アカウント3との関わり

アトゥシさんは、リサーチャーとして1年ほどアカウント3で働いてきましたが、アカウント3との関わり合いは15年ほど前にさかのぼります。それは彼女が学生として法律の勉強をしていたとき、クライアントとしてはじめてアカウント3と関わりました（写真4-9）。近所の人からアカウント3にコンピューターがあると聞き、思い切ってドアをノックして「コンピューターを使わせてくれませんか」と声をかけたのがきっかけです。その

写真4-9　左から通訳のみきさん、アトゥシさん、弁護士の二上護先生

当時、フルタイムの仕事もしていたので調べ物をするのに費やせる時間には制約がありました。また肉体的な疲れもあって、図書館まで行ってコンピューターを使うことが非常に難しい状況でした。セクレタリーのメレデューさんが「ぜひここのコンピューターを使って、自分の研究をやってみなさい」と言ってくれたのです。それからアトゥシさんはアカウント3に通い始めることになりました。

当初アトゥシさんは「アカウント3のようなところは、お金に困っているだろう」と思い、プリントアウトするための紙を自分で用意していったところ、メレデューさんから紙を持ってくる理由を聞かれたのです。その理由を説明すると、「あなたは学生なんだから資金がないのは私たちと同じ。ぜひ私たちの紙を使いなさい」と言ってくれて、ここで研究に没頭することが出来たそうです。

アカウント3の助けもあって、大学でマスターの資格を取ることができました。そして人権問題は研究していたカテゴリーのひとつでした。アカウント3へのお礼ということもあって、その後ボランティアとして無料でリサーチの仕事を手伝っていました。リサーチはアカウント3にとって大変に重要な部門のひとつなのです。色々の人たちのサポートをするためにはリサーチが大きな役割を果たします。

「1年ほど前に、『有給でここで働きませんか』という言葉をもらって、大変に感動したのを覚えています。ここの仕事を熱心にやろうと心に決めて1年が経ちました」と、アトゥシさんは述べました。

1つ目のリサーチ：NHSへのフィードバック

約7カ月前のことです。2つのプロジェクトがあり、そのうちのひとつはNHS（National Health Service）に関するものでした。「患者が病院から退院した後に、どのようにサービスを考えているか」ということにNHSは興味をもっていて、そのリサーチを手伝いました。これは退院した患者や家族から直接マンツーマンで意見を聞く方法で行われました。意見の中には、「とてもいいサービスだった」という意見もありましたが、問題点もあらわになってきました。そのひとつは、介護される側ではなく介護する側、とくに家族の場合は、介護者として社会から認識されていないということです。介護者であることを認識されないまま介護をしなければならないのです。社会からは見えない存在の人たちがいることが大きくクローズアップされました。これは、患者から意見を聞いたときに出てきた問題で、その後フォーカスグループで話し合いをしました。フォーカスグループの中で、介護者の意見を聞くことが出来たためにわかったことです。

介護を担っている家族の存在をNHSに知らせることや、コミュニティや地域の人たちに理解してもらうというリサーチに時間をとりました。

2つ目のリサーチ：ロンリネス・プロジェクト

もうひとつのプロジェクトはロンリネス・プロジェクト（Account3.,*TALKING ABOUT LONELINESS*）というもので、これは通常のリサーチプロジェクトからは一段階アップしたものです。このプロジェクトは、リサーチを自分たち自身で行うのではなく、パートナーシップの企業なども含めてリサーチしてくれる人たちをリクルートすることから始めました。このような手順を取ることで、リサーチャーとしてリクルートされた人たちが今後も活躍できる道が開ける利点があります。これはこれまでのリサーチから一歩踏み込んだものでした。

ロンドンは大変大きな街です。たくさんの人が住んでいる大都会ですが、その中でさみしい生活を送ることは十分にあり得ます。アカウント3はそのロンドンの中にあるタワーハムレッツという一部分を問題にして、都会のさみしさや孤独を味わっている50歳以上の人たちに対してリサーチをしました。たとえば、その人たちが今どんな人たちと関わり合いがあるのか、あるいは関わり合いがなくなっているのか聞き取り、その人たちが抱えている問題も調査しています。リサーチの資金はパブリックヘルスから出ています。孤独の問題を抱えている人たちの状況をリサーチした結果は、パブリックヘルスにフィードバックされます。そこではリサーチ結果に基づいてどんな対応ができるか検討され、対処できるようになるのです。

20人のボランティアを現在リクルート

このロンリネス・プロジェクトは、リサーチを自分たちで行うのではなく、リサーチャーをコミュニティに投じることによって、人と人をつなげるという大変重要な役割を果たすこともできます。リサーチを行う20人のボランティアを現在リクルートしています。この人たちは、コミュニティを代表するバックグラウンドをもたないといけないと考えています。たとえば英語が母国語の人たち、またバングラディッシュのバックグラウンドを持つ人、あるいはソマリア、東ヨーロッパなどのコミュニティを代表する人たちを20人集めて、リサーチャーとして活動できるようにトレーニングを行なっています。

トレーニングのひとつにPA（Participatory Appraisal, 参加型調査）という調査方法があります。PAは、コミュニティのリサーチとして使われている大変有効な方法です。アトゥシさんはリサーチのMA（マスター）をとっていますが、PAの方法は習いませんでした。リサーチしたい相手を刺激せずに、そして自分の洞察力を活かしてリサーチする方法で、有効なことが実証されています。ボランティアの人たちがこのスキルをトレーニングすることで、将来リサーチャーとして独り立ちするのに大変役立つスキルの一つを獲得することができます。

フィールドワークする人たちをスーパーバイズする

24人のボランティアの人たちは、トレーニングが終わるとペアを組んでフィールドワークを行い、情報が集められてきます。それに加えてフォーカスグループから意見を聞いたり、マンツーマンで意見を聞いたりして、データを集積していきます。そしてその報告書をパブリックヘルスに提出します。

報告期限までにアトゥシさんはボランティアの人たちと色々な話し合いを持ちますが、アトゥシさん自身がフィールドワークをするわけではありません。フィールドワークをする人たちのスーパーバイズをするのが役割です。そうすることで、アトゥシさんが持っているスキルや知識をボランティアの人たちに分け与え共有することができます。さらに、それを共有したボランティアの人たちがその知識をさらにコミュニティに還元することができるからです。

通常はこういった報告書やリサーチは、大学や企業の中に閉じ込められた情報として利用されるしかなかったのですが、このような方法を採ることによって、得られた情報やスキルがコミュニティに還元されることになります。これは、コミュニティの開発に役立つ方法だと思います。

社会的企業としての役割で最も重要な保育園の設立

アカウント3の社会的企業の役割として最も重要なものをひとつあげるとすれば、保育園があげられます。これはもちろん必要があったことからスタートしていて、アカウント3の事務所内に保育園が設立されています。ハーモニー保育園（Harmony Nursery）です。

英国には、子どもの教育に関して評価を行うオフステッド（OFSTED : Office for standard in Education）という査定機関があります。これは学校や保育園などが公的に問題はないか、また問題があった場合はどんな問題なのかを査定し、子どもの教育に関するランク付けを行います。アカウント3の保育園はオフステッドで最高の評価を受けているレベルの高い保育園です。ここでは5歳までの子どもを預かっていて、ここからの収入はアカウント3に入ってきます。経済的にも保育園の存在はアカウント3にとって大変に重要です。

またこの地域に保育園は不足しているので、今後、保育園の数は増えていくだろうといわれています。実際に、カウンシルから、今成功している保育園に合せて、新たに場所を設けてくれないかという打診があり、2～3週間後にスタートさせるところです（写真4-10)。50～60人の子どもたちを受け入れて保育園の部門を増やすことが決まっています。場所を確保するために、事務所として使っていた場所を保育園として使うことになりましたので、事務のスペースが少ない状態です（写真4-11)。今は、離れた場所で色々な事務手続きを行なったりしているため、入ってきた人は雑多な印象を受けられるかもしれません。

写真 4-10　事務所内の保育園（視察当時）

写真 4-11　ハーモニー保育園（accunt3 ホームページより）

アカウント３の保育園に通っていた子どもたちの成績がいい

保育園で預かっていた子どもたちが大人になると、アカウント３を知っていることで、顔見知りになることがずいぶんとプラスになる点があります。また、６歳になると子どもたちは小学校へと進んでいきますが、色々な成績表をみると、アカウント３の保育園に通っていた子どもたちの成績がいいという印象があります。これらがアカウント３に関わりがあるのかリサーチが行われていないので断言することはできません。今後、これらの背景を確認しながら総合評価をしていく必要があるかもしれません。

企業やコミュニティとパートナーシップを組む

色々な企業とパートナーシップを組んでいますが、それ以外にコミュニティの色々なセクターともパートナーシップを組んでいます。そのようなところからの相談に対応することもアカウント３のサービスのひとつです。たとえば企業やコミュニティがある問題を抱えている場合、起きている問題の原因を調べてその解決策を具体的に示すことも、アカウント3のサービスのひとつです。

その解決にあたり、アカウント3が仲介に立ち、クライアントとなる企業や個人とのつなぎ目の役割をするのも重要なことです。これが現在アカウント3が行なっていることです。最後にアトゥシさんは、「私が話しすぎるのは職業が法律家ですからお許しください」と言って笑っていました。

4　東ロンドンの変化とアカウント3

アカウント3は現在もコープ

アカウント3は、協同組合から社会的企業の形態になったわけではありません。プロジェクトの一部がエンタープライズ（企業）に分けられる場合もありますが、組織の機能や骨組みはコープ（協同組合）です。コーペラティブUKからサポートも受けています。

アカウント3は中間的支援組織として直接事業を行なっているのではなく、プロジェクトのいくつかが社会的企業のカテゴリーに属するので、社会的企業といっています。アトゥシさんは、「資金源が複雑なのです。資金源がコープ関係から来るところと、社会的企業として収入を得るときがあるので、複合ということになってしまいます」と述べました。

クライアントについては理解できましたが、組合員はどうでしょうか。組合員が何人かアトゥシさんは把握していませんでしたが、組合員はいます。ただし、クライアントがすべてメンバーというわけではありません。クライアントというのはアカウント3の門をくぐる人のことをいいます。

有給のスタッフは30人ですが、スタッフ全員がフルタイムで働いているわけではなく、フリーランスの人たちもいます。またプロジェクトごとに雇用することもあります。

クライアントは増えている

クライアントはたくさんいます。クライアントには2種類があり、ひとつはアカウント3のサービスを受けるためにここの門をくぐる人たちで、もうひとつは資金調達をしてくれる大事なお得意様です。

写真 4-12　ディスカッションの様子

たとえば、企業やNHSだったりと色々ですが、その人たちが必ずしも組合員というわけではありません。

私たちが訪問したときには、ちょうどセッション（session：会議）をしていました。失業した人たちがアドバイスを求めてアカウント3にやってきます。たくさんのオーガニゼーション（organization：組織、機構、機関）もやりくりに困っている状態なので、やはりアドバイスを求めてアカウント3を訪れてきます。社会福祉の人たちと失業した人たちが職を求めてくるのでクライアントは増えています。

資金源に伴う色々なダメージを最小限に食い止めるためのビジネスプランの製作をはじめ、それ以外にも色々なアドバイスをしているので、こちらの部門も今数が増えているとのことでした。

ボランティアの数は100人くらい

「ボランティアの数は正確ではありませんが、だいたい100人くらいです」とアトゥシさんは言いました。これはプロジェクトごとに集められるボランティアの場合もあるし、アカウント3のオフィスで働く人や子どもの世話をする人などいろいろなボランティアが存在しています。法律学校からのボランティアなどインターンシップみたいなものもあります。一人ひとりのボランティアとしてかかわる時間も異なるために、何人とは決めていないし、その数の把握も難しいということでした。

たとえば、ロンリネス・プロジェクトでは24人のボランティアがいます。その人たちを得ようとしたときに、内部でできるだけのことをしようとはじめに考えます。保育園に子どもを預けている両親に、「ボランティアをやってみませんか」と声をかけたりもします。その返答を無期限に待つのではなく、2週間とか期限を区切って、当たりをつけられる身近なところから始めます。それでも必要な人数が集まらない場合に、外からボランティアを募集する流れを考えます。アカウント３の中に既にいる人たちを家族的に見守り、みんなが家族第一と考えるようにしています。ですからアカウント３の中が最初、それから外という流れになるときがあります。

リーガルエイドの縮小

日本ではお金のない人のための司法支援制度として、法テラス（日本司法支援センター）という全国的な組織があり、国の予算を使って無料法律相談や弁護士費用の立て替えを行う制度があります。イギリスにはそういう組織はあるのでしょうか。

「この問題は私がたいへん得意とする分野ですので、熱を入れてお話しできると思います」とアトゥシさんは言いました。彼女は人権についてずっと関わってきたということでした。

法テラスと似たような制度で、イギリスには「リーガルエイド」というシステムがあります。リーガルエイドは、貧しい人たちのためにというものではなく、低所得者層や普通の暮らしをしている人たちが利用できるもので、５万ポンド（約 1,000 万円）以上の年収がある人は利用出来ない制度です。５万ポンドがどれくらいかというのは職業にもよりますが、これを利用できない人はかなり限られたお金持ちの人と考えられるため、一般の人たちが利用できる制度です。この制度は、無料で法律家のアドバイスを受けられたり、その法律家とともに自分たちの事件やケースを裁判所に提出できるなどのサポートを受けることができます。

ところが、リーガルエイドは、政府の方針により予算と取り扱う事件内容の枠がどんどんと狭められていて、最終的には廃止される可能性も秘めています。すでに、失業問題はリーガルエイドの範疇ではなくなり、移民問題もここから外されてしまいました。イギリスでは長らく平等と人権が基本的な人々の権利だと認識されてきました。ところがこの「権利」は必ずしもいつも手に入るようなものではないのです。

平等の権利を持つのが建前の社会のはずです。21 世紀に入って景気が悪くなっているために職を失う人たちがどんどん増えています。そしてリーガルエイドのサポートがなくなったがために、職を失うことについて、貧しい人たちや貯金のない人たちが法律家を雇うことができず、不公平な解雇であってもそれと闘う意思を簡単に失ってしまう状態になっています。というのも、法律が複雑な構造になっているために、個人で闘うことは不可能に等しいからです。専門家のアドバイスが必要なのですが、そういう失業者にはだんだんと道が閉ざされている状態で、それは移民もしかりということです。

訓練の結果の就労は 46 人

ボードミーティングの数は今のところ7人です。アカウント3で訓練を受けている人の数は、「子どもの養育」では2014年で81人でした。アトゥシさんが運営している「女性のためのリーダーシップコース」は、終日コースと週末のみのコースの2つが用意されています。人によって参加できる曜日が分かれるからです。このコースに参加した人数は72人です。訓練の結果、アカウント3のクライアントとして仕事が得られた人は46人です。「この数字は少ないと思われるかもしれません。ただ、仕事に就いたことを報告しない人や、忙しくなってしまった人は含まれていません。そのような人たちから情報を引きだすのに時間がかかる場合があります。また、『給料をもらって仕事をする』ということをどうカテゴライズするかということもあります。たとえば、ここに通ったことで1週間だけ雇用された場合を雇用とみなすのかということです。実際は雇用されたことにはなるのかもしれませんが、それを雇用とはみなさない人たちもいるかもしれません。ですから、何を雇用とするのかあるいはしないのかという定義づけの問題を含んでいます。ということで、私たちは数よりも質を重視しています」。アトゥシさんはこう答えました。

保育園

アカウント3の中に保育園が作られたのは10年以上前です。アトゥシさんはアカウント3で7カ月しか有給のメンバーとして働いていないので詳しくはありませんでした。

保育園を利用している人は、移民家族や所得が比較的低い人たちが多いのか質問しました。「すべての人を含んでいます」という答えでした。仕事をしている両親には子どもの面倒を見てもらえる場所が必要です。アカウント３の保育園がほかの保育園と違う最も大きな点は、国籍の多様化、民族の多様化です。区によってはひとつの民族で占められている場合があります。たとえばバングラデシュ人だけとかソマリア人だけ、最初から英語を話すネイティブのイギリス人だけというようなコミュニティも多くみられます。しかしここでは、多種多様な子どもたちが一緒に遊んでいる姿を見ることができて、それは随分と興味深いものです。

子どもたちの保護者はアカウント３の利用者、あるいは利用者だったのか気になります。また、日本では保護者同士の結びつきができますが、ここでもできているのかも聞いてみました。

保護者同士のコミュニケーションは随分盛んなようです。保護者たちを対象にした親のクラスのようなものを設けていますが、アクティヴィティを通じて親同士のコミュニケーションが図れるようなことも考えています。また、アカウント３にクライアントとして来ている人たちが、ここの保育所を利用することも多くみられます。ただ、子どもたちの親のなかで、何パーセントがアカウント３の利用者かはわかりませんでした。そういった角度から物事を捉えていなかったということでした。

ロンリネス・プロジェクト

ロンリネス・プロジェクトの「ロンリネス」をどう考えているのでしょう。「ロンリネス」が、コミュニティでの新しい問題なのか、あるいは以前からある問題を新たに注目し直したのか教えてもらいました。また対象は50歳以上の人ということでしたが、なぜ50歳で区切るのでしょうか。

「資金を調達する上で、50歳以上という指定があったので年齢を区切っています。孤独化とはどういった状態をさすのかなど、そういった一つひとつの問題を問題としてクリアにするのもリサーチの目的の一つになります。９月のレポートをお待ちいただきたいのですが、資金調達先からの指定で対象のカテゴリーを50歳以上と分けてはいます。でも、孤独は、10歳でも20歳でも30歳でもどの年代に対しても当てはまる社会的問題です。この孤独の問題では、何が問題なのかを調べるために、今私たちは力を尽くそうとしています」と、アトゥシさんは述べました。

貧困と犯罪の関係

日本では、親が子どもを殺すという事件が起こっています。イギリスでは、貧困を背景にしたそのような事件はあるのでしょうか。

「私はアカウント3でリサーチャーを務めている以外に、コンサルタントとしても色々な人権問題にかかわっています。ですから悲しいことですが、そういった不幸な事件を毎日見聞きしています」とアトゥシさんは言いました。そして、「貧困が原因とは結びつけることは出来ませんが、何か社会にひずみが起こったときに、最初に被害を受けるのが女性と子どもであるというのは全世界で共通する事実です。それが貧困と関連しているかどうかは証明されていませんが、深い関わりがあると個人的には考えています」と述べました。

「例をあげると、お酒が入ることで楽しめる人たちはいいのですが、酔っぱらってしまう人が職を失うなどの要因が加わることで、周りに暴力をふるうことが考えられます。でも、それは貧困とは社会的には見られずに、アルコールのせいと形づけられることが多いわけです。ですから、そのあたりをきちんと調べるのも必要かもしれません。貧しい人たちは、色々な社会問題の被害にあいやすくなっています。ヒューマントラフィックといって、国から国へ社会の表に出ることなく輸送される人たちがいます。たとえばアジアからこちらに売春婦として連れてこられたりする子どもたちです。そういう被害を受けている子どもたちがいろんなところで見受けられるのも問題化しています。これもベースには経済的理由というのがあり得ると思っています」と述べました。

貧困が問題ということももちろんあり得るのですが、中流階級や上流階級の人たちの間にも子どもに対する暴力はあります。ただ、労働者階級の人たちがそういった問題を起こすと社会的に表面化しやすいのに対して、ミドルクラスやアッパークラスの人たちに似たような問題が起きても表には出にくい特質があると思います。ですからどうしても貧困だけが取り上げられてしまうのですが、子どもたちに対する暴力には他にも様々な複雑な原因があると考えられています。貪欲さ、また暴力といったものは、この地域に多い少ないとか、特定のクラスや収入の人たちに多い少ないとは定義できないものがあります。どのエリアにもそしてどのクラスにもあり得る出来事です。

20年間の東ロンドンの変化の特徴

アカウント3は20年前から活動してきました。その間の東ロンドン地域全体の変化の特徴はどんなことがいえるのでしょうか。

「イーストロンドンは私が故郷と思っている地域のひとつです。私のアクセントから私がフランスの出身であると感づかれた方がおられるかもしれません。私は、この東ロンドンはもちろん、北ロンドン、西ロンドンといろんなところに住みましたが、この東ロンドンが一番いいところだと思っています」とアトゥシさんは述べました。

「その理由は、ここには多国籍文化があるということです。最近、行ってみたらいいと思う地域の一つにブリックレーンという地域があります。ここはバングラデシュ人のコミュニティのあるところで、インド料理の店がいっぱいあります。またその横のショーディッチというところは、新しいデザイナーやアーティストの人たちが多いところです。この辺もかなり変化を遂げている地域のひとつです。東ロンドンの多国籍文化に触れていただくのも、この地域を訪れるいい面ではないかと思います。東ロンドンは、フランス革命の時にフランス貴族が逃げてきた場所でした。また宗教上の理由でプロテスタントのユグノー[1]の人たちが逃げてきたところでもあります。ごく最近、第二次世界大戦の際にインドとバングラデシュが分かれるときにも、多くの人が避難をしてきた場所でもあります。そうして、いつもいつも移民を優しく受け入れてきた大変度量の深い土地柄が、この東ロンドンです。またユダヤ人が第二次世界大戦の前後から東ロンドンにやってきたこともあります。

このように昔から外国人が多く来るところですが、2010年から2015年にかけては、私が今新しい移民と名付けている人たちがやってきました。これはロンドンの土地または家屋が値上がりしたために、そこに住めなくなった人たちがイギリスもしくはロンドンのお金持ちの区域からここで家を買うためにやってきたのです。ですから、この人たちは外国人ではなく、イギリスの人たち、主にロンドンの人たちです。この人たちが物価を釣り上げているために、周りの人たちにとっては大変住みにくくなっている地域でもあるわけです。この間も暴動がありました。シリアルカフェというおしゃれなカフェがブリックレーンにありますが、襲撃を受けました。地元の怒っている人たちからです」。このようにアトゥシさんは述べました。

おわりに

アカウント3の収入の財源別構成については不明でした。クライアントが事業をしている収入や、さまざまな企業クライアントからの収入、NHSやその他からの収入もあると思います。その構成がわかるとよかったのですが、アトゥシさんは、「人権問題で人が相手だと得意ですが、数字が相手だと苦手です」と述べました。

そして、「みなさんは一度足を運んでいただいたということで、これからは家族としてあつかっていきたいと思います。ですから、ロンドンにお越しの際はぜひアカウント3に足をお運びください。今日はお会いできて大変有意義な時間をすごさせていただきました。ありがとうございました」と述べました。

注

1） ユグノー（フランス語：Huguenot）は、16世紀から17世紀の近世フランスにおける改革派教会（カルヴァン主義）、カルヴァン派のことをいう。ユグノーとフランス王権やカトリック勢力の間の政治闘争を通じて、フランス絶対王政が形成された。

文献・電子情報

Account3., *TALKING ABOUT LONELINESS*.
アカウント3（http://www.account3.org.uk/）.
ハーモニー保育園（Harmony Nursery）（http://www.account3.org.uk/nursery.html）.

第5章 住宅政策　社会的家主 Gentoo イングランド（サンダーランド市）

1　SHCA との連携

2015 年 11 月、イギリス北東部の港湾都市サンダーランド（図 5-1）にある社会的な家主であるジェントゥー（Gentoo）（次節詳細を説明）を訪問しました（写真 5-1）。

ハッチンソン，ジョーン（Hutchinson, Joan）さんとヘップル，ヘザー（Hepple , Heather）さんはサンダーランド在宅介護協会[1)]（サンダーランド・ホームケア・アソシエーツ：Sunderland Home Care Associates, SHCA）のディレクター（Directors of SHCA）で、SHCA の歴史や経緯、目的など説明を受けました。リサ（Lisa）さんはエクストラケアマネジャーで、運営について説明してくれました。

サンダーランドの視察のコーディネートは、SES（Sustainable Enterprise Strategies）ディレクターのサディントン，マーク（Saddington, Mark）さんでした（写真 5-2）。SES については第 7 章で

写真 5-1　Gentoo の外観

写真 5-2　左からサディントンさん、ヘップルさん、リサさん、ハッチンソンさん

図 5-1　サンダーランド市

説明します。

コープから社会的企業へ

ハッチンソン，ジョーンさんからは、SHCA が始まった経緯を話していただきました。

1976 年に遡ります。イギリスにはブリックレイヤー（bricklayer：レンガ職人）という職種がありますが、コープを創設した最初のメンバーの一人であるエリオット，マーガレットさんの夫は、建設労働者協同組合のレンガ職人でした。この協同組合では雇用創出促進を図っていて、エリオット，マーガレットさんは、「メンバーが経営に参加する」というコープの精神で、食糧雑貨店「リトル・ウィミン：Little Women」を始めました。メンバーが働いている間は、誰かがその子どもたちの世話をしなくてはなりません。そこで働くメンバーが子どもたちを預けられる保育室を店の上に設置して、仕事ができる環境を整えたのです。しかし、数年後には経営に行き詰まり店を閉めることになりました。

エリオットさんは、その後、コミュニティ・カレッジでコミュニティ論を学び、「ユース・アンド・コミュニティ」の学位を取得しました。建設労働者協同組合メンバーからホームケア協同組合の立ち上げを示唆され、リトル・ウィミンの仲間とともに「リトル・ウィミン家事サービス」を 1982 年に設立しました。これも事業経営の困難に陥り、閉鎖してしまいましたが、これがSHCAの実質的な前身となりました。1994年の7月4日にSHCAを設立しました。2000年にはそういったコープの動きから社会的企業（Social Enterprise）へと変化を遂げました。そのときの株価は2ポンド60ペンスでしたが、現在の株価は18ポンドまで上っています。また、初期の頃のサービス提供時間は週450時間ほどでしたが、現在は週1万2,000時間まで伸びていて、大きく成長していることがわかります。2014年時点のスタッフ数は450人です。

SHCAは12,000時間のサービスを提供する

SHCAが提供している1万2,000時間のサービス時間は、サンダーランド市でのサービスの提供時間です。サンダーランドは広いので、サービスを提供するエリアをタイン川（River Tyne：イギリスのノース・イースト・イングランドを流れる川）に沿って区域を分けています。また、タイン川のほとり（タイン・サイド：River Tyne Side）では2,000時間というように、エリア毎に何時間とわかれています。サービスの内容は、ほとんどがパーソナルケアといわれているものです。

写真5-3　ヘップル，ヘザーさん

パーソナルケアには色々あります。政府は以前からケアを必要としている人たちには必要なサービスを提供していましたが、政府の緊縮財政政策に伴って、提供できるサービスがどんどん減少してきています。とくに、ドメスティックケアといわれるサービスが不足がちになってきています。ドメスティックケアとは、自宅を訪問して行う個人的なサービスで、そのサービスは多岐にわたります。たとえば、入浴や着替えの手伝いなど、その人が必要としている自宅でのケアをそのように呼んでいます。

食事の準備などもドメスティックケアに含まれるのかヘップルさんに聞いてみました。「家事の手伝いと考えていただければ近いか

もしれません。ですから家の中の掃除や買い物も含まれます。ドメスティックケアは自宅で行うサービスという定義です」と答えてくれました。

パーソナルケアがSHCAの主な仕事

パーソナルケアがSHCAの主な仕事ですが、それ以外の事業も行なっています。公園に設置されているカフェの運営などもその一例です。食べ物や飲み物の提供はもちろんですが、そこで働く身体障害者の人たちのサポートなども行います。それからガーデンセンターの運営があげられます。ここでも身体やその他障害のある人の雇用のサポートをしています。ここではメンター制度をとっています。メンターとは面倒を見るお兄さん、お姉さん的な役割で親しみを持ってサポートすることです。メンターとはもともと助言者という意味です。そしてもちろん、地元の地方行政とも密接なかかわりをもっています。

地元のカレッジと提携も行なっています。ここでは、カレッジの内外でパートナーシップが取られていて、カレッジの外では、先ほどのガーデンセンターでの行動などがあります。カレッジの中でのサポートは、たとえば学生がノートを取ったりするときのサポートであるとか、重い本を持つサポートだったりと、色々なサポートが用意されています。

それとあわせて、プロジェクトの運営があります。いくつかのプロジェクトがありますが、とくにインディペンデント・フューチャー・サポートというプロジェクトには6,000時間が費やされています。

インディペンデント・ヒューチャー・サポート・プロジェクト

過去に色々なところに収容されていた人たち、たとえば病院であったり、もう少し長期的に病気ではないのに施設（institution）に収容されていた人たちがいます。その人たちにそういった施設から出てもらい、地域で生活してもらうことを目的にしています。施設に収容された原因として、以前はその人たちが地域で生活していくためのサポート機能がなかったために、地域での生活ができなかったことがあげられます。その人たちが地域で生活するためのニーズを考えたパーソナルなサポートを基本にしています。その人たちは病気ではないので、本来は医療体系の世話になる必要がなかった人たちです。その人たちが病院などを利用した際に費やされる費用は莫大なものですが、地域のコミュニティで生活するようになると、費用が軽減される利点があります。ただ、その人たちが必要なニーズを理解して、それをサポートしていく必要があります。それを SHCA が行なっています。

トレーニングの事業

そういったサポートに必要な支援は、SHCA だけでなく地元のコミュニティまたは行政の力なども借りています。もうひとつの主な事業がトレーニングです。

現在では、以前予想していたものよりも人々の変化の幅が広くなってきています。たとえば、昔なら病院に行かなければならなかった病気でも自宅でのケアで何とかできないだろうかと、そういった動きに変わってきています。そのような新しいニーズに対応できるようなサポートチームが必要で、その人たちのトレーニングが必要になります。自宅で独立した生活ができるためのサポートです。

ジェントゥーでは 24 時間のケアを行なっていますが、ここに住んでいる人たちは自宅に住んでいる人たちになります。その人たちのサポートをジェントゥーで行なっていることがユニークな点です。ジェントゥーから数年前にアイディアと示唆があり、それで成功して、今はかなり軌道に乗っていると考えることができます。

エクストラ・ケアの 3 つの方法

エクストラ・ケア・マネジャーのリサさんから、実際にどのような運営がされているか話を聞きました。

エクストラ・ケア・スキーム（extra care scheme）というものがあります。ジェントゥーから依頼されて、ケアを SHCA で提供しています。SHCA で行なっている方法が 3 つあります。その 3 つの方法を使って、エクストラ・ケア（extra care）というものを行なっています。

写真 5-4　エクストラ・ケア・マネジャーのリサさん

ジェントゥーのアパートメントに生活している人たちにどのようなサポートが必要なのか、一人ひとりアセスメントをしていきます。1日のうちで何時間、どのようなサポートが必要かプラン作りを行います。そのうちのひとつはパーソナルケアと呼ばれるもので、入浴の手伝いとか薬を飲むお手伝いなどが含まれます。それから、ここに住んでいる人たちが孤独化しないように社会的な面からのサポートも行なっています。たとえばコンパニオン的なサポート、地元の人たちの一員だという認識できるようなサポートもあります。

基本的な考え方は、その人たちが独立した生活をそれぞれ自宅で行い、必要な部分だけを24時間体制で必要に応じて提供するということです。スタッフはこちらに常駐しています。ここに住んでいる人たちのニーズはその日によって時間も変わってくるので、ここに常駐しているスタッフの数も変化します。3～4人というときもあれば6人というときもあります。

アパートが自宅

たとえば、美容院に行ったりカフェを利用したり、そういったサポートもあります。そこで働いているスタッフは住んでいる人たちが親しみをもてるように、同じスタッフが配属されるように工夫しています。そこで顔なじみになることも1つの大切な要因と考えています。

ジェントゥーに住んでいる人たちにとって、このアパートメントが自宅ですから、出入りはまったく自由に行われています。外出したり自宅でくつろいだりすることなどは、住んでいる人たちが自由に決めることができるわけです。ジェントゥーとは週に1度はミーティングをもちます。住んでいる人たちのニーズに適合しているかどうかも照らし合わせて、いつも会議が開かれています。

2　Gentoo が直面する課題

ロンドンから北東へ約 440km

イングランド北東部の地方都市、サンダーランド市は、ロンドンから北東へ約 440km、電車で 4 時間ほどのところにある港湾都市です。かつては炭鉱と造船業で繁栄していましたが、造船不況とオイル・ショック以後の景気後退および炭鉱の閉鎖によって、1970 年代後半から失業率が非常に高い多くのコミュニティを抱えることになりました。産業の衰退と経済状況の著しい悪化によるイングランド北東部における 1970 ～ 80 年代の失業率は 25 ～ 30%、非常に困窮している地域では 70% といわれるほどでした。現在のサンダーランド市の失業率は 11.3% で、生産年齢人口は約 17 万 8,200 人ですが、全国平均の 7.2% と比べるとまだ高いです。また人口 10 万人当たりの起業率はロンドンが 75.5% であるのに対し、サンダーランド市では 22.5% と大きな開きがあります。

サンダーランドは、12 万世帯・27 万 2,000 人が暮らしています。16 歳以上は 20 万 5,000 人です。13 万 5,000 人が就労可能人口（economically active population）です。内、1 万 2,000 人が失業者（unemployed）です。1 万 1,000 人が学生です。9,000 人は家事のために自宅にいます。1 万 4,000 人は病気か障害者で就労できません。3 万 2,000 人は退職者です。そういった中でジェントゥーは 2 万 9,000 戸を配給しています。7 万人の利用者がいます。スタッフは 1,800 人です。

サンダーランド市では、現在でも疲弊したコミュニティを抱え、数々の社会問題に直面しています。一方で、市の中心部や沿岸部では地域開発が進んでおり、美術館や植物園、美しく整備された公園、ナショナル・グラス・センター（National Glass Centre is part of the University of Sunderland）など観光スポットも点在しています。

ハウジング・アソシエーションとしてスタート

ジェントゥーはイングランド北東部をテリトリーとする社会的家主（RSL:Registered Social Landload）です。ウォーカー , ジュリー

写真 5-5　ジェントゥーのウォーカー, ジュリーさん

(Walker, Julie：Head of Care Gentoo) さんからジェントゥーについて説明がありました（写真 5-5)。ジェントゥーは、もともとはサンダーランドのハウジング・アソシエーション (housing association：住宅協会）として16年ほど前にスタートしました。2007年からはジェントゥーとして現在の活動に移り、サンダーランドの市街地で主に家主として活動しています。その数は、プロパティ（不動産）が2万9,000戸、そしてそこにテナントとして住んでいる人の数は7万人を超えます。2万9,000戸のうち約1万戸に高齢者がテナントとして入居しています。イングランド全体、そしてサンダーランド自体も高齢化はしているのですが、ジェントゥーのテナントに占める高齢者の割合は、それぞれの平均よりも高く、約3分の1が高齢者です。

シェルタード・アコモデーション

高齢者に対応できるユニットはいくつかのレベルに別れています。89戸はスペシャリストが常駐している住宅です。そして155棟は、シェルタード・アコモデーション (sheltered accommodation：介護用住宅）と呼ばれているもので、入居には60歳以上という条件があります。月曜日から金曜日の昼間にスタッフを常駐させる、コンシェルジュサービスが設けられています。必要に応じて非常ベルの設置もあります。夜間の緊急の際の非常システムで、緊急の場合はスタッフがかけつけることになっています。

エクストラ・ケア・ハウジング

エクストラ・ケア・ハウジングは2005年に始まりました。政府は高齢者の入院日数を減らすことを目的として特別に予算を組み、様々な規定を満たしたディベロップメントに補助金を分配するスキームを用意しました。「エクストラ・ケア・ハウジング」または

「エクストラ・ケア・スキーム」と呼ばれています。

住んでいる人たちにとっては、ここが自宅です。その人たちがケアホームや老人ホームのようなところに入る代わりに、自宅でサポートを受けて生活できるようにして、入院を減らすことに取り組んでいます。

写真5-6　Gentooのアパートメント（ハディントン）

ジェントゥーには2つのエクストラ・ケア・ハウジングがあります。ひとつはハディントン（South Area：Haddington Vale）（写真5-6）、もうひとつはホートン（Houghton and Hetton：Cherry Tree Gardens）にあります。ホートンには47のアパートメントがあって、ベッドルーム（寝室）の数は2つです。ハディントンには42のアパートメントがあります。ホートンの建築には600万ポンドかかりましたが、そのうちの200万ポンドは政府からの補助金で支えられました。ハディントンの建物はもう少し費用がかかっています。ただ政府からの補助金は現在ストップした状態です。これからエクストラ・ケア・ハウジングを建てるときには、資金源を確保して採算をとっていくことが必要です。

直面する政府からの補助金ストップ

直面している問題は、エクストラ・ケア・ハウジングが高齢化社会に向けて必要にもかかわらず、政府からの補助金がストップしてしまったことです。ジェントゥーのような社会的家主にとってのこれからの課題は、どのように運営を軌道に乗せるか、お金をどう集めるか、ということになってきます。

エクストラ・ケア・ハウジングの建物の基本は、ハッピー（HAPPI：Housing Aged Persons Panel for Innovation）と呼ばれているスキームです。建設する際には、ヨーロッパ中の建物を参考にしました。身体的に障がいのある人たちがどこにでもいけるような工夫がされていたり、認知症の人たちにも使いやすいようにされていたり、暮らしやすい工夫がされています。

1週間161ポンドの家賃

賃貸での家賃は1週間当たり161ポンド、3万円ちょっとです。収入のある人はそのまま払いますが、収入のない人や少ない人は、地元のカウンシル（council）に申請を出して、福祉として金額を授与してもらう方法がとられています。家賃には、生活にかかる基本の費用、たとえば共益費や電気代などすべて含まれています。ただし食べ物など個人的に使うものは自己払いです。通常、サンダーランドの他の場所では週当たり600ポンドの費用がかかるそうです。それに比べると、ここの家賃はかなり低額に抑えられています。

このような自宅ではなく、レジデンシャルホーム（老人ホーム）やケアホームに住んでいる人たちの平均家賃は週600ポンドです。さらに入院になると、1人当たりのケアは1晩あたり1泊2日で800ポンドかかるそうです。ですから病院で使う予定のお金がレジデンシャルホームで使われてもいいけれども、それよりもここでケアとして使ったほうがよほどいいわけです。

プライベートの病院に行くと明細書が届きます。病院は、だいたい800～900ポンドくらいで、ロンドンでもそのくらいです。

ファンディングがなぜストップするのか

「そういうことであれば、なぜ保健省から財政緊縮のため、お金がなくなってしまったからといってファンディング（一定のプロジェクトにかかわる資金調達、財政的な資金援助やその財源）をストップするなんてことがあり得るのだろう」と、中間支援組織であるSES（Sustainable Enterprise Strategies）のサディントン,マーク（Saddington, Mark：director）さんは言います。長い目でみたら、病院よりも住宅に投資したほうがいいはずです。

その質問に対する答えはわかりません。恐らく入院する費用については予算化されていて、それが毎日のことであるため、そのお金をストップして在宅ケアにまわすことが不可能な状態だと推測されます。ジェントゥーの方がいいスキームだとわかっているけれども、そのためのお金を病院の予算から取り上げてしまうと、病院の経営が成り立たなくなってしまいます。理解はできるけれども、変えることは難しいのではないかと推測されました。

住宅ローンを組んで購入

住宅供給を公営住宅に頼るのか、それとも個人の住宅所有を促進するのか、という二つの選択肢は、雇用政策や社会保障と並んで戦後のイギリスの主要な対立点でした。1945年から1970年代まで、労働党は公営住宅の拡充に力を注ぎ、保守党はいわゆる「不動産所有民主主義」を唱えて、税制上の特典などを通じて住宅所有者の保護に努めました。この対立する二つの選択肢の均衡を破ったのは、1980年に保守党サッチャー政権が導入した持家促進制度（Right to buy, RTB）による公営住宅の大量売却処分でした（Merrett,S.,1982）。

近年のイギリス住宅政策における持家化の更なる推進、公共住宅部門の地方自治体から非営利団体への切り替えなどの展開も、これまで住宅の私有化を追求し、公営住宅を残余化するものとして、否定的に評価されています（Lowe,S.,2004；Kleinman,M.,1996）。しかし、それから四半世紀を経た現在、公営住宅の売却は新たな問題を生み、持家政策は、公営住宅の入居者だけではなく多様な世帯に対して、公営住宅だけではなく民間市場にも参入して住宅購入を促すように変化する一面があります。さらに、民間市場で流通しない住宅が促進されるというように、持家促進政策と公共住宅とは相互補完する関係に至っています（菅一城2005）。

「RSL（社会的家主）はサッチャー時代に公共住宅を売却したものを買ったのが基本の住宅か、それとも自分たちで新しく造ったのか」と聞きました。ウォーカー，ジュリーさんは、「ちょっと複雑ですが、簡単にいうと違います」と言いました。社会的家主になるためには家を所有しなければなりませんが、はじめはお金を借りて、オープンマーケットで売りに出ている家を住宅ローンを組んで購入したそうです。住宅ローンを組むときには抵当として担保物件をつくり、それでお金を借りて、家賃を返金分にあてます。

サッチャー政権時に、公営住宅のテナントとして住んでいる人たちに購入する権利を与えたのとは違う話です。とても興味深いのは、現在また家を買う権利を政府が言い出していて、賃貸で生活する人たちよりも購入する意識のある人たちが増えているのが、少し新しい流れになっています。

SES と SHCA とジェントゥーの関係

ジェントゥーは家主です。家主であるジェントゥーが持っているプロパティでのケアサービスを SHCA に委託しています。SES を通じて SHCA とジェントゥーは知り合った関係なのですが、もとからのコネクションもあります。SES は 1982 年に設立されました。そして SHCA のエリオット，マーガレットさんと深い関係があります。彼女は SES のディレクターでもあります。同じビルの中でいつも顔を合わせて、同じポリシー、同じような指針をもって活動しています。

ジェントゥーと SES とは 15 年から 20 年ほど係わり合いをもっています。ジェントゥーのもっている家とあわせて入居者 7 万人のほとんどが失業者です。失業者の人たちに、たとえば新しいベンチャー企業を設立するとかそういったお手伝いを SES でもできるということで、係わり合いが深いそうです。

SES と SHCA とジェントゥーの決算は、連結決算されるような資本関係があるのかを尋ねました。出資を受けようとした過去の経緯はありますが、それは連結決算ということとは違います。二つの組織で、スタッフの移動はあります。SES のスタッフがジェントゥーで働いています。

3　住宅を見る

SHCA とジェントゥーについて説明を受けた後、ここに住んでいるノーマ（Norma）さんが自宅へ招待してくれることになりました。コンシェルジュが常駐しているオフィスや美容師が週に 2 回きてくれる美容室を通り過ぎ、ノーマさんの部屋を目指します。

ノーマさんの部屋（一人部屋：ツーベッドルーム）

3 階建てのアパートメントの一室がノーマさんの家です。リビン

写真 5-7　ノーマさん

写真 5-8　リビングルーム

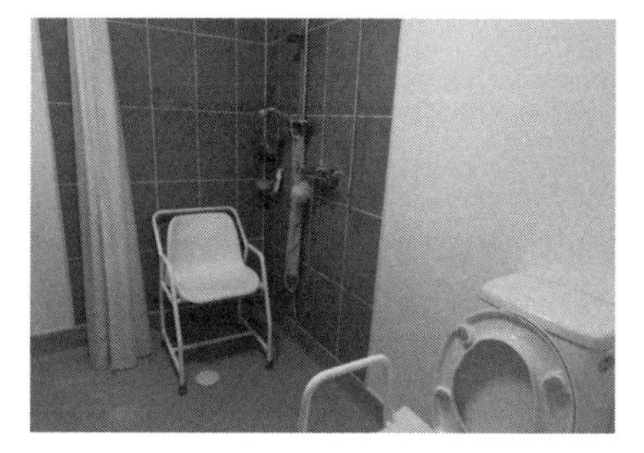

写真 5-9　トイレとシャワー

写真 5-10　キッチン

グルームには、オーストリアにいたときに描いてもらったご主人との肖像画が飾られています（写真 5-8）。世界中を旅行したそうです。

正確な広さはわかりませんがツーベッドルームです。寝室にはトイレへ通じるドアがあり、スムーズに移動できるようになっています。窓の外にはスーパーマーケットのモリソンズ[2]やガソリンスタンドが見えます。テラス窓を開けるとベランダに出ることができます。ここに住んでいる人たちみんなの共同の広い庭があり景色はとてもいいです。バスルームにはシャワーが設置されていて、シャワー用のイスもありました。

キッチンに移動しました（写真 5-10）。「あまり料理はしないわ」とノーマさんは言います。ここで料理もできますが、共同のラウンジで食事をとることができます。

「こちらがもうひとつのベッドルームです」と案内された部屋は、

予備の寝室です。ノーマさんは寝室としては使っていませんでした。つくりつけのクローゼットもありました。部屋にある戸棚は引っ越して来た時に戸棚がなかったので、必要なものを入れるのに買ったそうです。戸棚はノーマさんの持ちものです。

「ここの生活を気に入っているからどこにも行きたくない」とノーマさんは言いました。犬も連れてきていいそうです。ノーマさんはここに来る前はバンガロー（平屋造りでベランダのある木造家屋の様式）に住んでいました。

ノーマさんの付けているブレスレットはアラームシステムだそうです。スイッチを押すと緊急事態が発生したことがわかるようになっています。安全なので玄関のドアに鍵をかけない人も多いそうですが、ノーマさんはいつも鍵をかけているそうです。

ラウンジ・ランドリールーム・ケアラーズルーム

ノーマさんの案内で、3階にあるラウンジやキッチン、ランドリールームとケアラーズルームを見学しました。ラウンジは誰でも利用することができて、5ポンドでいつも食事をとることができます。二つのメニューから選ぶことができます。この日はローストチキンか魚料理でデザートもついていました。ノーマさんは「でてくるものは何でも食べます。とても安いと思います」と言いました。ランドリールームでは無料で洗濯機を使用することができます。ケアラーズルームも同じ階にありました。ノーマさんは「ここ以外のところには住みたくありません」と繰り返し言っていました。

ゲストルーム

ここを訪ねてきた訪問客が宿泊する際に使えるゲストルームがひとつあります（写真5-14）。最初の晩は15ポンド、そのあとは10ポンドで利用することができます。2,000円から3,000円ぐらいという料金は、YMCA並みか民宿よりも安いです。早い者勝ちで宿泊日数の制限はありませんが、利用者はここに住んでいる人たちの知り合いや家族に限られます。アジアンテイストを取り入れたインテリアです。「ホテルルームみたいにしました」と説明されました。

私たちはほかの建物も見ることができました。2015年3月に入

写真 5-11　予備のベッドルームは現在倉庫

写真 5-12　ラウンジ

写真 5-13　ランドリー

写真 5-14　ゲストルーム

居が始まった新しい建物の入口にはコンシェルジュサービスの部屋があって、中に入るには必ずその横を通らないといけません。ノーマさんが言うには、部外者が立ち入りできない入居者の専用エリアもあり、きちんと管理されているとのことです。

階によってカーペットや壁の色、飾ってある写真が違います。これは、認知症の人たちが自分の住んでいるアパートメントを記憶するときに、イメージや色を思い出すことが容易だというリサーチの結果によります。

ここに入居するためには 55 歳以上という規定があります。ほとんどの人たちは年齢が 80 歳代、そして身体的に何らかの問題を抱えていたり、また認知症であったりする入居者が多いそうです。

１階の公共部分のカフェや美容室は独立したテナントです。家賃を払ってジェントゥーから借りていて、入居者に対して独自にサービスを行なっています。

アパートメントには色々な工夫がされていて、ノーマさんのように身体に障害がある人たちや認知症の人たちでも動きやすいつくりになっています。たとえばバスルームのドアは、リビングルームと寝室のどちらからでも直接アクセスできるように2カ所あり、引き戸になっています。これは使いやすさを考えて工夫されたことのひとつです。

それ以外にも、各部屋から外のガーデンに直接出ることができるようにドアが取り付けられていました。また上階の部屋にはパティオやバルコニーが設置されています。ヨーロッパではバルコニーやパティオに出ることは当たり前ですが、イギリスではそのような設備は少なくとても珍しいことです。自然光がたくさん取り入れられるように工夫されていて、それも入居者が精神面の健康ということを考慮して、いつも明るいところにいられるように工夫されてのことです。また、冷暖房の設備、これも環境に優しく経済的にも優れたものが取り入られています。

エレナさんの部屋（一人部屋：ツーベッドルーム）

私たちは3階に移動し、今度は住人のエレナ（Elena）さんの部屋を見ることができました（写真5-15）。かなり広いバルコニーがあります（写真5-16）。イギリスではこんなに広いバルコニーは少ないです。

私たちはバルコニーからの眺めを楽しみながら、ベッドルーム、シャワールームとトイレを見せてもらいました（写真5-17、5-18）。案内されたキッチンは本当にきれいでした（写真5-19）。食器はけしの花で統一されたかわらしいものでした（写真5-20）。冷蔵庫には、たくさんのマグネットが貼られていて（写真5-21）、電子レンジも設置されていました。みんながきれいだといって、感動していました。

エレナさんは、2015年の3月に入居してからは、楽なので食事はラウンジでとっているそうです。「何が一番好きですか」と聞くと、日曜日のローストビーフが好きだと言いました。イギリスでは日曜日は伝統的にローストビーフを食べるそうです。

エレナさんには、5人の孫がいます（写真5-22）。「女の子4人で

写真 5-15　リビング

写真 5-16　広いバルコニー

写真 5-17　バルコニーからの眺め

写真 5-18　ベッドルーム

写真 5-19　キッチン

写真 5-20　素敵な食器

男の子ひとりです。だから男の子が生まれた時は嬉しかったのですよ」と言っていました。「近くに住んでいるので、よくきてくれる」とも言っていました。そして曾孫もいるとのことでした。ナナ（Nana）とは「おばあちゃん」という幼児語です。曾孫が今朝来てみかんを食べていたそうです。エレナさんはスノーマンが好きで集

写真 5-21　冷蔵庫に貼り付けられたマグネット

写真 5-22　リビングに飾ってあった孫たちの写真

写真 5-23　入居者のエレナさんと後ろの棚にはスノーマンが集められている

めています。リビングの棚にはたくさんのスノーマンが飾られていました（写真 5-23）。壁にはエレナさんの歩行器が置いてありました。

エレナさんは吸入器を使用していました。必要に応じて使用します。忙しかったりすると、そのときのためです。日本でも同じです。新しいタイプのものです。

内装は部屋によって違うそうです。この「キッチンがいいからこの部屋」とは選べません。ウエイティングリストがあるくらいですから。部屋の値段は1階だろうが3階だろうが同じです。エレナさんは動作に問題があるので、手伝いの人が来てくれてシャワーに入る手伝いをしてもらいます。掃除は自分でやるのが基本ですが、お金を出して頼むこともできます。

アパートメントは入居者の自宅なので、住んでいる人が掃除をするのが基本です。家族が来る場合もありますし、もしくはそういうサービスにお金を出す人もいます。共同の場所は、管理会社が掃除をしています。

空室待ちは 20 人以上

アパートメントにはサンダーランド市民でなくても入れます。ほかの人が住むことはジェントゥーにとってはいいことですが、サンダーランド市から、「こういうケアが必要です」と認定された人たちがきますので、そのため、ここにはプライベートの住居はありません。

「共有部分は家賃に含まれているのですか」と聞きました。「共益費の概念はないので、家賃に含まれている」ということでした。「認定待ちの希望者はどれくらいいるか」聞きました。空室待ちは 20 人以上になるそうです。ただはっきりした数字ではありません。誰かがこのアパートメントから出ない限り、入居することはできません。政府からの補助金がないので、新しく建物を建てることはできません。やはり資金難の問題が、今後の課題です。当分その 20 人は、誰かが亡くなるか、病院やレジデンシャルホームに入るかを待たなければなりません。そうしなければ現状では希望者が入居できません。

4　リビングウェイジとダイレクト・ペイメント

サンダーランド全体の失業率は 11.3％で、全国平均の 7.2％と比べても高いです。そして、サンダーランドには伝統的に貧しい地域があります。その地域では失業率が 40％以上にもなります。地域の部分部分でかなり違うわけです。サンダーランド市は、高い失業率や犯罪率、教育水準の低さ等の問題を抱える地域でもあります。ジェントゥーの名前は、ジェントゥーペンギンからとったそうです。理由はわかりません。

資金調達

ジェントゥーをつくるのに、政府からの補助金があったということでしたが、それ以外の資金調達は銀行からの借り入れなど、他の方法があったのでしょうか。中央政府からは色々なグラント（補助金）があります。コミュニティに新しい家を建てるためのグラントもあるそうです。ジェントゥーにはそれが少し入っています。ただし一般的にはモーゲージといって、住宅ローンを組んで、そして家賃収入をその返済にあてる方法がとられます。ジェントゥーでも、銀行から住宅ローンを借りたということです。ある程度の補助金がないと、すべて借金では造れません。

ジェントゥーがもっている建物は、2万9,000戸です。フラットという日本でいえばマンションタイプのものもあれば、バンガローという平屋建てのものもあります。色々なタイプの建物があります。私たちが見学したものがジェントゥーの一般的な住宅だとは誤解しないことが大事です。私たちが見たのはジェントゥーのもっている物件のなかでも、ロールスロイスクラスのものでした。

利益の分配が株式数に応じて分けられる

ジェントゥーはコープのシステムから始まっていますので、株主はジェントゥーで働いているスタッフになります。利益の分配はそのスタッフの持ち株の数に応じて分配されます。株を売ったり買ったりできるシステムがあり、当然、売って利益を得ると所得税の対象になります。そういった売り買いができる場が設けられています。3年株を持っていると、売ったり買ったりする権利を持てるようになります。

会社内だけでの保有が決められています。ですから退職する時には売らないといけないという規定があります。一般には3年や5年経ったら売れるということですけれども、株を退職するときまでずっと持ち続けて、退職するときにそれを売ることで、そのお金を退職金代わりにすると考えている人たちが多いようです。

リビングウェイジ

日本では財源削減により職員給与を上げられなくても、医療や介護を守ろうとする現実があります。イギリスでも、色々な手当てが減少しているのが現状です。そうした手当てが減少していることに対して、政府の方針で、最低賃金よりも高いリビングウェイジ(Living Wage＝生活賃金：一定の水準の生活を送るうえで必要となる賃金最低額）という給与体系にするようにという指針があります。1990年代後半のアメリカで、自治体と契約を結ぶ企業に対して、最低賃金を上回る水準の賃金（貧困層に陥らない生活を保障する賃金）を労働者に支払うことを義務づける動きが広がりましたが、ここで設定された賃金がリビングウェイジです。ですからいまは、財源は減っていても、雇用者の給与は高くなっていて板挟みになっている状況です。給料を下げると、それはやはり利益のために下げるということになりますが、今のジェントゥーの体制は利益を追求するタイプのものではなく、その収入と支出が見合って少しだけ利益が出たらいいかなくらいの感覚でやっているので、つらいものはありますが、何とかしています。

リビングウェイジは、現行の最低賃金では生活が困難だとして、労働者にとっての生活可能給の考え方がベースにあります（岸 2013）。こうした考えに基づく議論はアメリカ、イギリスでは古くから行われていました（宮坂 2005）。Brenner は、生活賃金の起源はイギリスですが、歴史家によればリビングウェイジの概念は 1870 年代の工業化（Industrialization）の始まりにまで遡ることができるといいます。これについて様々な定義があるものの、「家族をサポートし、自尊心を維持し、市民生活に参加するための収入と余暇を持つことを提供すべき賃金」であるとし、ニュー・ディール社会契約の基礎となったことを指摘しています（Brenner 2002：2）。

ダイレクト・ペイメント

欧米の一部では「ダイレクト・ペイメント方式（direct payments）」、つまり障害者が自治体などから直接介護費用を受け取ることにより、障害者自身が介助者を直接雇用するシステムがあります。ダイレクト・ペイメントが進んでくると、実際はカウンシル（council）からお金がでているけれども、それが個人のお金のような流れとなっていきます。

例えば日本の支援費制度では、障害者の自己決定尊重、利用者本位のサービス提供、障害者自らのサービス選択、契約によるサービス利用の仕組み、などがうたわれていますが、支援費は事業者と区市町村の間で代理受領申請と支払いが行われ、本人のもとを現金が経由するわけではありません。厚生労働省は代理受領のメリットとして、(1) 利用者の立て替えが不要であること、(2) 事業者が確実に費用取得できること、(3) 効率的な事務執行が可能であること、などを強調しています(厚生労働省)。しかし日本では、支援費制度が利用者本位とうたわれながら、介助者とは直接契約を結ぶことはできず、事業者との契約によってそこから介助者の派遣を受けることとなり、少なからず問題や摩擦も起きているようです。

ここでは、イギリスにおけるコミュニティケア(ダイレクト・ペイメント)法(Community Care[Direct Payment] Act)1996、コミュニティケア(ダイレクト・ペイメント)規則1997に基づく、ケアの直接給付に関する制度を説明します。

ダイレクト・ペイメントの対象者

ダイレクト・ペイメントの受給資格は、(1) 障害者であること、(2) 18才以上であること(保健及び社会ケア法2001にて特定条件の16～18才に拡大)、(3) コミュニティケア・サービスの必要性についてアセスメントを受けること、(4)(強制されるものではなく)進んで制度利用したいこと、(5) ダイレクト・ペイメントを管理できること(単独またはアシスタントを伴って)、アシスタントをもつ場合でも最終的に自己決定ができること、です。

1997年4月施行当初は18歳以上64歳以下の障害者が対象でしたが、その後適用対象を拡げ、2000年には65歳以上の高齢者にも適用が開始されました。ダイレクト・ペイメントは現金給付であり(一部現物給付と併給することもできる)、介助者の直接雇用および外部からのサービス(例えば、家事、庭仕事、家屋の改修や、医療と福祉の境界にあるケア等、公的な社会的ケアより広範な支援)の購入に充てることができます。つまり、ダイレクト・ペイメントは、自治体がアセスメントによって必要と認めたどのようなサービスにでも使用することができます。自治体が認めれば、福祉用具の購入や移動も含まれます。しかし、施設におけるケアには使用できません。つまり、自治体直営の社会的ケア、NHSによる医療、住宅や施設入所に係る費用は給付の対象外です。自治体は、給付を受けた現金の使途についてその適切性を定期的にチェックし、ニーズが満たされているかを確認します。自治体の責任として、ダイレクト・

ペイメントがきちんと使われるよう努力し、アセスメントに基づき使用されているかをモニターし、残額が出たら返金を求めるということです。

コミュニティケアのダイレクト・ペイメント

イギリスのコミュニティケアは、ケアの混合市場経済を導入、サービスの提供者と購入者（地方自治体）が分離され、ニーズ・アセスメントやサービス提供を自らの選択とコントロールに基づくことが意図されています。しかし、障害者側からすれば行政主導であるとの見方であり、一部障害者に提供されていた自立生活基金（ILF：Independent Living Fund, IL1993F）の一般化を求め、Community Care (Direct Payment) Act 1996 の成立に至っています。

ロンドン市のダイレクト・ペイメント制度は、2000年4月に社会サービス政策実施委員会で採用され、2001年9月に改定され、制度の整備が進んできました。現在、ダイレクト・ペイメント制度のスムーズな利用を促すためのサポート機関には障害のあるスタッフ（パーソナル・アシスタント利用者でもある）が働いており、情報提供及び介助のマネジメントに関するトレーニングを請け負っています。また、同区社会サービス部ケアマネジャー（ダイレクト・ペイメント担当者）は、コミュニティケアを利用する上での直接サービス提供とダイレクト・ペイメントに関する選択を主体的に行えるよう配慮しています。

ダイレクト・ペイメント制度普及の課題

ダイレクト・ペイメントは、保守党政権下、1996年コミュニティケア法により、利用者主権と市場を通じたサービス提供の拡大を図る観点から、障害者に対し導入されました（伊藤 2006：164）。

ブレア（Blair）政権も、利用者選択の拡大と自立促進の観点からこれらを重視しており、2000年、制度の対象を高齢者に拡大しました。しかし、自治体の態度が消極的であること、ヘルパーの採用面接や雇用契約締結、事業主責任保険への加入など手続きが煩わしいことから、普及は進んでいません。少し古いデータですが、2003年9月末時点の利用者数は1万2,585人であり、そのうち高齢者は1,899人にすぎませんでした（Commission for Social Care Inspection 2004）。また、登録制度が設けられたホームケア事業者と異なり、高齢者が直接雇用する者に対しては、特段の行為規制もありませんでした。2005年度には37,000人へと増加したものの、全体でコミュニティケア受給者の2.5%に過ぎず、内65歳以上の高齢者は1万3,000人（65歳以上のコミュニティケア受給者の1.3%）でした（Glendinning 2008）。

政府の推進の方針にもかかわらず、普及の進展は遅く、特に地域により制度の利用率が大きく異なること、また対象者層によっても異なることが報告されていました（Fernández et al,2007）。

利用が拡大しない背景について、先行研究の知見はほぼ共通しています（Clark 2004, Poole 2006, Fernández et al.2007, Knapp 2007, Glendinning 2008）。まず、利用者側の問題として情報不足や予算管理・介助者の雇用管理（募集・採用・雇用契約締結時等）の手続きの困難さ、ケアマネジャー（ソーシャルワーカー）の利用に対する消極性や抵抗（制度の認知の不十分、保守的でリスクを回避する、利用者に不適切と考え利用しない、資源配分に関する権限を失うことを恐れる等）、供給側の問題として、介助者の不足、事業者の消極性（通常ブロック契約でサービスを提供する事業者にとって個別の利用者への対応は煩雑で費用が高くなる）、行政および当事者団体等支援団体のサポート体制（特に介助者雇用や雇用管理面に対する利用支援）の弱さ、利用のための条件の使いにくさ（同居の親族や自治体直営福祉サービスやNHSの医療サービスは適用されない）等が報告されています（長澤 2009）。

注

1） サンダーランド在宅介護協会については、OECD編／連合総合生活開発研究所訳（2010：193-194）を参照してください。
2） モリソンズ（Morrisons）は英スーパーマーケットのひとつであり、英国内ではテスコ、アズダ、セインズベリーズと並び、BIG4とも呼ばれています。運営会社はWMモリソン・スーパーマーケッツ。

文献

Brenner, Mark., *Defining and Measuring a Gloval living Wage: Theoretical and Conceptual Issue*, April 2002.
(http://www.peri.umass.edu/fileadmin/pdf/gls_conf/glw_brenner.pdf)

Commission for Social Care Inspection, *Direct Payments : What are the barriers?*, 2004, Table1.

Clark H. et al., "It pays dividends: Direct payments and older people". *The Policy Press*, 2004.

Kleinman,M., *Housing, Welfare and the State in Europe*, Cheltenham, 1996.

Lowe,S., *Housing Policy Analysis, Brtish Housing inCiltural and Comparative Context*, Basingstoke, 2004.

Merrett,S., *Owner Occupation in Britain*, 1982.

National Glass Centre（http://www.nationalglasscentre.com/）.

Poole, T., *Direct payments and older people(Wanless Social Care Review).*The King's Fund, 2006.

Fernández,J. et al., "Direct payments in England: Factors linked to variations in local provision dorect payments in England:factors linked to variations in local provision."*Journal of social policy*, Vol.36, №1, 97-121, 2007.

Knapp,M., "Social care: choice and control."in Making social policy work, edited by J. Hils, J. Le Grand and D. Piachaud. *The Policy Press*, 2007.

Glendinning,C., "Increasing choice and control for older and disabled people: A critical review of new developments inEngland."*Soioal Policy & Administration*. Vol.42, №5, 451-69, 2008.

Ian Greaves., *Disability Rights Handbook*, April 2017-April 2018.

伊藤善典『ブレア政権の医療福祉改革　市場機能の活用と社会的排除への取組み』ミネルヴァ書房、2006年。

菅一城「住宅購入の促進と公共的住宅の再評価―イギリスにおける低所得者向け住宅供給の政治経済学―」The Institute of Economic Research Hitotsubashi University, *Discussion Paper Series A*, №462, 2005年。

長澤紀美子「ブレア労働党政権以降のコミュニティケア改革―高齢者ケアに係わる連携・協働と疑似市場における消費者選択―」国立社会保障・人口問題研究所『海外社会保障研究』№169、2009Winter、pp.54-70。

宮坂純一「生活賃金運動の問題提起」労働調査協議会『労働調査』2005年9月、pp.38-57。（http://www.rochokyo.gr.jp/articles/0509_2.pdf）

岸道雄「ロンドン・リビング・ウェイジに関する一考察」立命館大学政策科学部『政策科学』20巻2号、2013年2月、pp.25-39。
（http://r-cube.ritsumei.ac.jp/bitstream/10367/4681/1/ps20_2kishi.pdf）

経済開発協力機構（OECD）／連合総合生活開発研究所訳『社会的企業の主流化――「新しい公共」の担い手として』明石書店、2010年（原著は、OECD, *The Changing Boundaries of Social Enterprises,* 2009.）。

厚生労働省「イギリスのダイレクト・ペイメント制度」
（http://www.mhlw.go.jp/shingi/2003/08/s0826-2c2.html）

第6章 障害者就労支援　フラワー・ミル（Flower Mill）（サンダーランド市）

フラワー・ミル（Flower Mill）（写真6-1、6-2、6-3）は、SHCA（Sunderland Home Care Associates）のプロジェクトのひとつです。プロジェクトは、私たちが訪問した2015年11月の2年前に開始されました。そしてつい最近CIC（Community Interest Company）の法人格を取得し、これから本格的に動き出すところでした。

写真6-1　フラワー・ミルの外観

写真6-2　フラワー・ミルの入口

写真6-3　花卉栽培の様子

フラワー・ミルの設立目的

私たちに最初に説明してくれたのは、デヴィ（Dewi）さんでした（写真6-4）。フラワー・ミルの設立は、障害のある学生たちの働く場所があるといいのではないか、というアイディアからスタートしています。そういった学生たちが学校を離れてしまった後、何か手に職があると職業を見つけやすかったりします。それが難しくてもボランティアとして、何かができればいいなというアイディアでした。

ガーデンセンターのマネジャーはマーティン（Martin）さんです（写真6-5）。彼は園芸の専門家で、ガーデニングに必要な知識を教えています。ここに来る学生たちの障害の度合いは一人ひとり違います。ですからその人にどういったものが合うか、その人が将来どのような手に職を身に付けられるか、人それぞれで同じではありません。

ガーデンセンターの奥にはアロットメント（allotment）[1)]といって、色々な畑仕事ができる場所になっています。そこは1年前に購入した土地で野菜を作ったりしています。育てられた野菜はSHCA（Sunderland Home Care Associates）[2)]で運営しているカフェに供給する野菜で、そのカフェでも障害のある人たちが働いています。良いものを提供できれば、お互いがさらによくなるのではないかという考えがあるからです。

25歳まで、サンダーランドのカレッジで障害を持って勉強している人たちを受け入れてくれているそうです。勉強していることは、

写真6-4　私たちに説明してくれたデヴィさん

写真6-5　マネジャーのマーティンさん（園芸専門家）

障害の度合いによって色々です。国語や数学をやっている人たちもいれば、障害の程度によってアーツ・アンド・クラフトをやっている人たちもいます。それからソーシャルスキルを身に付けるためにやっているひともいるそうです。一般には25歳までカレッジに残る人が多いそうです。間違いないようにいうと、カレッジは、日本でいう大学ではなくて、16～18歳までの高校のことをいいます。その後、ユニヴァーシティ（大学）に行くわけです。

荒地から菜園に作りかえるという能力

菜園の土地を手に入れた時は荒れ放題でした。柵の高さまで雑草が生えていたり樹木も一部残っていたりしました。そういった荒地を菜園に変えていったのですが、それもスキルの一部です。土地を開墾して畑を作り、色々な野菜を植えて育てて収穫する。カフェでは、収穫された野菜を使って料理をし、サービスを提供するというひとつの流れの中で色々なところで手に職をつけることができ、専門職を学ぶことができます。そしてこの流れが円になって集結して持続性になっていきます。それがアロットメントを手に入れた最初の理由です。今その輪が繋がろうとしているところです。

荒地を菜園に作りかえる技術は、他にも活かすことができます。例えば、トンプソンズ・パークという場所をリース契約する予定になっています。トンプソンズ・パークは現在荒れ放題の場所ですが、ここで身に付けたスキルを活かすことで、その次のプロジェクトを円滑に進めることができます。

フラワー・ミルのガーデンセンターとSHCAは、サンダーランドの地方自治体とも密接な関わり合いがあります。自治体としては何らかの障害を持っている子どもたちの就業支援をメインにしたいこともあり、コミュニケーションを頻繁にとっています。

また、サンダーランドのローカルなフード・コープ（Food Coop）から、フラワー・ミルで作られた野菜を買い付けできないかというアプローチを受け付けています。パートナーシップを組むことができたら、トンプソンズ・パークにはここよりもさらに大きな菜園が出来る予定なので、そこで働く人たちの保障にもなります。

ソーシャルインクルージョン

障害を持っている学生たちは、25歳で学業を離れることになります。でも、その学生たちの学業を離れた後の行き場を提供できるかもしれないという希望に繋がっています。長期的な政策が必要になりますが、トンプソンズ・パークでは約5年の期間を考えています。5年の間にまず荒れた土地を整地して開墾すること、そして野菜を育てます。5年ほど経った後には、そこで蜜蜂を飼って蜂蜜の収穫も視野に入れています。

ソーシャルインクルージョン（social inclusion：社会的包摂）といって、違う立場の人たちがみんなで一緒に共同生活を送ることができるコミュニティを目指すというのがあります。障害をもっている人たちと健常者、それから高齢者などそういったいろいろな人たちがひとつの地域で仲良く暮らしていくことです。

デヴィさんは、「トンプソンズ・パークを見せてもいいのですが、荒れ果てた土地というだけで何も見るものがありませんので、次回の訪問時にご覧ください」と言いました。トンプソンズ・パークの広さは、フラワー・ミルの倍くらいだそうです。

従業員所有企業

フラワー・ミルは従業員所有企業です。ここで働いている障害者の人たちも同じようにシェア（株式）を持っているのでしょうか。フラワー・ミルは、カレッジと提携をして障害者のワーク・エクスペリエンス（Work Experience：職業体験）を提供しています。この場合は雇用という関係ではないので、雇用者になり得ないためにシェアは持っていませんが、障害者が雇用された段階でシェアを持ちます。カフェで働いている障害を持っている人たちは雇用されているので、会社のシェアを持っています。

フラワー・ミルのスタッフと利用している人の数はどうでしょうか。フルタイムの雇用者がひとり、パートタイムの雇用者が二人です。学生は3人でメンター制度でここにいる人たちです。ワーク・エクスペリエンスの数はだいたい1日当たり3人です。それは週7日間ですので、週に21人です。私たちが訪問した日は、ひとりしかいませんでした。体調を崩して休みだということでした。

フラワー・ミルを開始した当時は雑草が生い茂っていて、現在の姿にするまで1年近くかかったと、マーティンさんが一緒に歩きながら説明してくれました。

メンターと学生

メンターの役割のゴードン（Gordon）さんが、「こういったようにしなさい」、「ああしたふうがいいよ」と学生のブランドン（Brandon）さんに声をかけながら手助けをしながら一緒に作業をしているところでした（写真6-6）。課題はマーティンさんから出されます。作業台の高さが違うことに私たちは気が付きました。障害をもっている人たちの中には、立っている状態がいい人もいれば車いすの人たちもいます。その人たちが使いやすい高さの作業台が分かれています。

「今やっているのは、小さな植木鉢から大きな植木鉢に移す作業です。冬の間に小さな植木鉢から大きな植木鉢に移すことによって、春になると根がはりやすいからです」と説明がありました。

これらはほとんどが多年草なので、1年経つと少し疲れてしまうのですが、次の年にもやはり成長するものです。ですから朽ち果ててしまった部分を全部取り去って、次のポットに入れる作業をしていました。

別に並んでいるのは春にぐんぐん育って夏に盛りを迎えて、冬になるといったん死んだように見えますが、また次の年に大きく成長して、それが年ごとに続けられて成長するという種類の草花です

写真6-6　メンターのゴードンさん（左）とブランドンさん（右）

写真6-7　春に育ち夏に盛りを迎える草花

（写真 6-7）。

ガーデンの様子

ガーデンを囲っている柵には「学生たちにペンキを塗ってもらう予定だそうです。綺麗な色になったら素敵になると思います」とマーティンさんは言いました。

マーティンさんが突然、「そこに入らないでくれ」と私たちに言ったので、驚きました。私たちが足を運んだところには、蘭が 50 株くらい植えてありました。20 ～ 30cm の蘭が咲く予定です。洋ナシの木もありました。今年植えたばかりです。

接ぎ木で成長した木もありました。今年ようやく実をつけたそうです。プラムの木もありました。実が二つなったそうですがひとつしかありません。「誰が食べたの」と聞くと、「僕だ」とマーティンさんは笑って言いました。「僕がボスだから何でもやるよ」と、とても陽気でした。

芽キャベツ（Brussels sprouts）を育てている場所もありました。芽キャベツは茎になります（写真 6-8）。先の方がキャベツみたいにブラッセルトップと言われていて、キャベツみたいに甘くてとてもおいしいです。クリスマスには必ず必要なものです。アスパラガスと芽キャベツには「こんなふうになっているなんて」と、みんなが驚きます。玉ねぎもあります。

開墾した当時の写真が掲げられている小屋がありました。私たちは中に入り、当時の様子を垣間見ることも出来ました（写真 6-9）。

イギリスはリサイクルでコンポスト（堆肥）を家庭で作っている人も多いです。フラワー・ミルでもコンポストを作っています（写真 6-10）。グリーンピースもあります。クレソンに似ているけれども食べられません。タンポポに似ていますが雑草です。雨水を貯めて無駄な水を使わないようにも工夫されていました。日本には紅葉するもみじとかかえでがありますが、イギリスでは紅葉しません。似たような種なのですが、イギリスでは全然きれいではありませんでした。

秋に赤になったり黄色になったりするのはなぜかというと、昼間がすごく天気が良くて、夜急に冷える日が続くと綺麗に赤くなるそ

写真 6-8　芽キャベツ

写真 6-9　開墾当時の写真が飾られている小屋

写真 6-10　コンポスト

うです。そうならないと、黄色になります。澱粉の色の作り方が違うそうです。

野菜は作っていますが、ほとんどのマーケットはオランダから野菜を仕入れています。イングランドの北部は寒いので、耐寒性のある種類しか育たないからマーケットを利用できないのです。耐寒性はハーディといいます。固いものではないです。耐寒性に優れているものです。

クリスマスツリー

もうちょっとしたらクリスマスツリーを並べる予定になっています。ドアに掛ける丸いタイプのクリスマスリースです。セブンフットなので、2 m 10cm。180 ～ 210cm は一般的です。ツリーはリビングルームの一角に天井に届くくらいの大きさが普通です。イギリスではアメリカと違ってかなり長く準備に時間をかけます。アメリカでは前日に飾りつけするのですが、イギリスでは長い時間をかけて楽しみます。モミの木だけではありません。モミの木もいろいろなタイプもありますし、松などもあります。本物を飾る人もイミテーションを飾る人もいます。環境を考えるとゴミがものすごくでるのです。ツエルブ・オブ・ナイトといって、クリスマスから12夜を越えると縁起が悪いので、1月5日にみんな家の前にツリーを一斉に捨てるのです。カウンシルから引き取りに来るからです。

注

1）市民農園は英国にその起源があるといわれます。エリザベス1世（Elizabeth I）の治下の16世紀、英国では、農作物作りや家畜の飼育などのために使用されていた農民たちの土地が地主によって取り上げられ、毛織物生産のため牧羊地に変えられるという「囲い込み（第一次エンクロージャー）」が行われていました。その後、産業革命が進んだ18世紀半ばから19世紀にかけては、農業生産の向上を目的に新たな「囲い込み（第二次エンクロージャー）」政策が立法化され、領主や富農たちは小作農民の土地や村の共有地を私有地化し、さらに所有地面積を拡大しました。これによって近代的な大規模農業が始まりましたが、土地を失い賃金労働者となった農民の中には生活に困窮し、都市部に出て慣れない生活を強いられるものが増えていきました。こうした人々への救済策として、一部の地主階級や聖職者がささやかな地代と引き換えに、農民が食料を収穫できるよう一定の広さの土地を小額で貸与（= allotment）した制度が、現在の「アロットメント・ガーデン」（通称「アロットメント」）の原型です（On line ジャーニー：http://www.japanjournals.com/feature/survivor/1531-2009-05-07.html）。

2）小磯明（2017）参照。

文献

小磯明「イギリスの社会的企業　社会的家主：Gentoo(1)SHCAとの連携」日本文化厚生連『文化連情報』№469、2017年4月、pp.70-73。

第7章　中間支援組織　SES（サンダーランド市）

SESの理念

2015年11月5日、SES（Sustainable Enterprise Strategies）ディレクターのサディントン，マーク（Saddington, Mark）さん[1)]から説明を受けました（写真7-1、7-2）。

SESは、社会的企業および小規模ビジネスの起業支援と雇用創出を目的とする中間支援組織です。1983年に設立された「サンダーランド共同所有制企業資源センター」という協同組合開発機関を前身とし、2000年に「ソーシャル・エンタープライズ・サンダーランド」に、そして2008年に現在の組織名称になりました。現在の法人形態はCIC（コミュニティ利益会社）です。

32年間活動を続けています。設立の目的はとてもシンプルで、貧困や不平等問題に立ち向かうことであり、企業の設立のサポートです。経済的にすべての面において、平等な社会を目指しています。それが信念です。「共有することでともに成長する」ことが、良いと考えています。

写真7-1　SESの事務所（サディントン氏提供資料より）

4つの目的

写真7-2　写真左がディレクターのサディントン氏

SESには4つの目的があります。ひとつ目は、サンダーランドとニューカッスルの貧困地域の伝統的なビジネスの設立（企業）のサポートです。そして2つ目はイングランドの北東地区における社会的企業と協同組合をサポートすることです。3つ目はコンサルタント業務で、最近発展している分野です。コンサルタントに関する業務には、色々なプロジェクトをどのように開発していくかということ、またその影響力がどのようにあるかということ、プロジェクトに対する再評価、そしてビジネスプランの再評価といったものが含まれます。4つ目は社会的企業や協同組合、企業のために、貸しスペースを提供するビジネスです。SESはノースタインサイド（タイン川の北側）にもオフィスをもっています。

社会的企業の定義をめぐって

社会的企業と中間支援組織という2つが、他の組織とSESとの違いです。まずひとつが民主的なコープの動きです。たとえばロッチデール先駆者協同組合（Rochdale Pioneers Co-operative）[2)]の設立のような伝統的なコープ（協同組合：co-operative unionの略）と認められているものがあります。これは、一般的に理想のコープの形と考えられています。それとは別に、ヨーロッパの大陸から見たコープの動きがあります。1970年代から80年代にかけて起こって来た動きです。ヨーロッパとUK（United Kingdom）の共通点は、たとえば造船などの大きな製造業が下り坂になっていったという時代です。そういった経済的な流れの中で、社会的企業はどんどん雇用を増やし続けていきました。そしてブレア，トニー（Blair, Tony）[3)]の出現によって、社会的企業という定義がまったく別の意味に捉えられて、社会的企業の意味がなくなってしまったわけです。彼の社会的企業の定義というのは、まず「価値が最初にくる」というものです。マーケットによって、それが市場選好されるということです。

それは個人の確立です。コープが、グループになってはじめて力になることとはまったく意味が逆転してしまいました。キャメロン,デイヴィッド（Cameron, David）首相の保守党の時代になって、彼はキャッチフレーズの「ビッグ・ソサエティ＝大きな社会」と言い出しました。彼がビッグ・ソサエティと言ったおかげで、もともとは政府がやっていたことを、小さな社会的企業のようなものが代行することになったのですが、実際のところは民営化をやっていることと同じになるわけです。

5つのビジネスサポート

SESは価値があると思っている方法は、ヨーロッパで考えられていたシステムで、どのようにそれをサポートに活かすかということです。ビジネスサポートは5段階に分かれています。まずビジネスのスタートに関して、だいたいのアイディアを持っている人もいれば、もっていない人もいます。そういった人たちに最初にすることは、ビジネスをしたい人たちと人間対人間の信頼関係をまず築くことです。2番目のステージは、アイディアを形にするというステージです。アイディアをもっている人たちの場合は、そのアイディアがどのようなものかを見極めたり、アイディアがあるけれどもまだ形になっていない人達の場合は、それを形にする手伝いをしたり、そしてそのアイディアがまとまったらその次は、運営資金をどのように廻していくかというビジネスプラン、また利益がどうなるか損失がどうなるか、そういったビジネス面や運営面での具体的な手伝いをします。これが3番目のステージです。そして4番目のステージは、ビジネスをオープンするために、資金の調達をどこですればいいかということをアドバイスやサポートをして、資金が調達された後、ビジネスの設立につなげるわけです。5番目のステージは、いったん設立されたビジネスを次にどのように発展させていくか、たとえばその規模を大きくするという手伝いをします。

伝統的な会社（traditional business）の起業

ERDFプロジェクトというものがたった今終わったばかりです（視察当時）。2年間のプロジェクトでしたが、その中で720の項目を扱いました。それから導き出されスタートしたビジネスは408にのぼります。そのスタートした408のビジネスの中で、女性による起業率は52%にのぼります。ちなみにUKの女性の起業率は平均15%です。そして平均的な売上高は、1企業につき2万2,000ポンド（398万2,000円。1ポンド181円で計算）です。ですから408の起業がされたわけで、トータルは890万ポンド（16億1,090万円）にのぼります。サバイバルレート（生き残り率）が73%ですけれども、73%の生き残り率というのは、52週目で1回のチェック、そして104週目でもう1回のチェックということで、1年目と2年目ということになります。

408起業されたビジネスのうち、その中に占める失業者だった人の割合は75%でした。そしてそのうちの65%の人は、貧困のハウジングに所属していました。どれくらいこのプロジェクトにコストがかかったかというと、1,800ポンド（32万5,800円）です。コストは、プロジェクト全体の720ケースを扱った費用です。起業した企業の内、75%の人たちが失業者だったということで、それによって政府が福祉のために使わなくて済んだお金は252万4,500ポンド（45億6,394万円）にのぼります。そして失業者だった人たちは収入がありませんでしたから、所得税を払っていなかったわけですが、仕事がクリエイトされたおかげで、税収として政府に入った金額は89万7,600ポンド（1億6,246万円）にのぼります。これが所得税の金額です。福祉に支払われたお金、福祉に支払わなくてもよかったお金、また新たに租税を払うようになった収入、それを考えると1人当たり6,225ポンド（112万6,700円）がプラスに作用しています。トータルでみると、214万1,484ポンド（3億8,760万円）です。これらの数字は伝統的な会社の起業です。

社会的企業の設立

伝統的な会社の起業ではない新しいタイプの社会的企業の設立は267になります。それを全部トータルすると3,650万ポンド（66億

650万円）の年間売り上げになります。設立された社会的企業のうち、女性の占める割合は78％です。前述した伝統的な起業と社会的企業の違いは、雇用できる人の数です。伝統的な企業で雇用されるのは、ひとつの企業に対し1～2人なのに対し、社会的企業の方は平均雇用数が2年後の数が8.5になります。

経済面を考えると、コストもそれほどかかりませんし、成功率も高い良い方法で、これは素晴らしいアイディアだと誰もが思うはずです。ところが現政権の政治家の目から見ると、残念ながらこの方法がいいとは思われてはいません。最近の4年間で、140万ポンド（2億5,340万円）の売り上げがありました。それが現在では65万ポンド（1億1,765万円）に減ってしまいました。26人いたスタッフも11人に減ってしまいました。そういったことは悪いことだとはいえ、おかげで抵抗力がついてきて、コンサルタント業務の方が伸びて来ています。実はコンサルティングの相手が行政の場合もあり、そちらのほうにもこの良さを知らせることができてきたわけです。まずダイエテシャン（食事療法の管理者）、ケアワーカー、教育心理士（educational psychologist）[4]、ソーシャルワーカー、レジャーセンターなど、そういった部門のコンサルタントをしています。コンサルタント業務が多岐にわたってきているので、今生き残りができているわけですが、やはり起業のほうももちろん続けています。

新しい起業とは

ERDFプロジェクトをすすめているということで、古いタイプの企業と新しいタイプの企業の話をしていましたが、古いタイプの企業とはどういうタイプの企業で、内容としてはどういうことでしょうか。端的にいうと、製造業以外のサービス業の部門です。トラディショナルな分野で起業したもので、そのほとんどがサービス業にかかわるものです。たとえば電気技師やビルダーや内装屋、そういったスキルを持った人の起業です。

新しいほうの事業というのは、アート・アンド・クラフトのような、美術とかクラフト系のもの、ヘルスケア、環境やリサイクル、ソーシャルワーク、カウンセリングです。

サンダーランドでケア付き住宅をみましたが、ケアをしていくというのも新しいタイプの起業としてコンサルしていきました。サンダーランドケアハウジングアソシエーションの事業はかなり多角化しています。その中の園芸に関する部分はコンサルタントをしました。入居していた人達が退去するとき、ほとんどの人がリサイクルしなくてはいけないわけです。たとえばひとつの新しい起業というのは、退去する時のごみの場合もあれば、家具の場合もあります。それをリサイクルするという、そういったサービスです。1回あたりの売上高がそれほど高くない簡単な仕事、たとえばイギリスにはペイントデコレーターがいて、壁紙貼ったりペンキを塗ったり、とても簡単な仕事がありますが、そういう小さめの仕事の契約もやっています。

65万ポンドの内訳

コストパフォーマンスについて、政治家の目から見ると違うという話がありました。140万ポンドの売り上げから65万ポンドの売り上げに減ったといいましたし、26人から11人に職員が減りました。なぜそうなったのでしょうか。それは、政府との契約（コントラクト）の金額がカットされて収入が減ったためです。

たとえば今売り上げが減ったということで、65万ポンド（1億1,765万円）に減った内訳の20万ポンド（3,620万円）はヨーロピアンコントラクトです。15万ポンド（2,715万円）はオフィスをレントしているという、レンタル収入（家賃収入）です。コンサルタント料が30万ポンド（5,430万円）です。近くにヨットマリーナができたので、そのコンサルタント業務があるので、これから先それで伸びていって食べていけるのではないか、と考えています。ということで、たぶん生き残れそうだとサディントンさんは笑っていました。地域行政からは何のお金ももらっていません。政府からももらっていません。

社会的企業という仕組みをとることで、たとえば政府からお金が入っていないことは意外でした。寄付を受けやすいとか、税制上のメリットはないのでしょうか。実はその税制の優遇というシステムは存在するのですが、かなり複雑なために、SESがそれを適用したことはないそうです。紙の上ではできるはずですが、やっていないそうです。ですから資金が欲しいときには、一般の企業が立ち上げるのと同じように、銀行に相談に行って、「こういうビジネスプランなのでお金を貸してください」と普通の借り方をして、資金調達します。

ソーシャル・バリュー・アクト

2013年1月から「ソーシャル・バリュー・アクト（Social Value Act）」ができました。その法律の意図するところは、「もし公共の事業がコミッションされる場合に、色々な所から入札した時に、必ずしも金額を最優先する必要はない」という、そういった法律です。たとえば「このコントラクトを締結してくれれば、失業者、若者200人雇います」とか、そうすると落札の時のスコアが入札のポイント制になるとスコアが金額とは別のポイントが増えて行くわけです。でもそれは機能していないそうです。

北タイン側のカウンシルも南タイン側の地域も、裏方の発注をほかの人たちにやってもらうというコミッションがありましたが、南の方はウィンピーズ・ハンバーガー（Wimpy's Hamburger）という大きな会社に発注しましたし、北の方はBT（NTTのような大きな会社）といった大企業にばかり結局は発注をして、社会的企業には全然発注されていません。ですからそれは機能していない。世界的に有名な大企業ばかりが受注されていることを考えると、社会的企業が優先されている、又はコミットが高くついているということはちょっと信じられないのが実態でした。

5ビリオンポンドの削減

トラディッショナルな企業のサバイバルレートが73％というのは、1年目と2年目の平均です。65～90件という、すごく少ない企業しか倒産はしていません。

倒産した理由やどういう職業が多かったかというと、社会的企業が行政サイドからの契約を当てにし過ぎたということが原因の場合が多いです。結論からいうと、現政権の保守党になってから5ビリオンポンド（9,050億円）、イングランドの北東部に渡されていたそのお金をカットしてしまったわけです。それでお金がないないと言っておきながら、なぜこれが政治的かというと、銀行もかなり倒産しそうになりましたが、銀行系の無理をしていたところにはかなりベールアウト（Bail out：企業救済）しました。社会的ではなくてファットキャット（Fat Cat：多額の政治献金をする金持ち）ばかり助けて、社会的企業は助けないというのはちょっとおかしい。それは、経済的センスではなくて政治的センスで決めているということです。

「オスタリティ（Osutariti）というみんなで我慢しましょう」という言葉をツールとしては使っています。そのツールの使い方が意味を成してないということです。

コンサルタントしていくことはものすごく難しいことです。どうやってそのノウハウを職員のところで蓄積しているかというと、そのトレーニングに投資をしているわけです。だから専門家を招いてトレーニングをしてという、スタッフへの投資です。

注

1） 2017年11月にSESのディレクターを退き、2018年２月に新規事業としてHeskett-Saddington Associatesを設立している（2018年２月20日のマーク氏からのメールより）。
2） ロッチデール先駆者協同組合（Rochdale Pioneers Co-operative）またはロッチデール公正先駆者組合（The Rochdale Society of Equitable Pioneers）は協同組合運動の先駆的存在となった生活協同組合です。1844年12月21日にイギリスはランカシャーのロッチデール（Rochdale）で最初の店舗が開設されました。他の協同組合との合併を繰り返し、その系譜はThe Co-operative Groupに受け継がれています。日本では、ロッチデール組合、ロッチデール公正開拓者組合、ロッチデール正義の先駆者などと訳されることもあります。
3） アントニー・チャールズ・リントン・ブレア（Anthony Charles Lynton Blair）、通称トニー・ブレア（Tony Blair）。
4） 藤原正光（2005：33-41）に詳しい。

文献

藤原正光「イギリスの教育心理士の養成と仕事」文教大学教育学部『教育学部紀要』第39集、2005年、pp.33-41。

第8章 若者の生活と教育の支援 The Box Youth Project（サンダーランド市）

1　組織と活動

組織と設立の目的

私たちは、ボックス・ユース・プロジェクトがあるサンダーランド市の南の境のドックスフォード・パーク（Doxford Park）を訪問しました（写真8-1、8-2、8-3）。

「ボックス・ユース・プロジェクト」は団体名で、若者の失業問題に対する地元住民の懸念から設立されたユースクラブ（Youth Club）です。何らかの目標を達成するための計画を指す「プロジェクト」ではありません。本文では、団体を指すときは、「ボックス・ユース・プロジェクト」と記述し、目標達成のための計画を意味するときは「プロジェクト」と記述して区別します。そして「プログラム」という記述は、「ある物事の進行状態についての計画や予定」という意味で用いています。

この地域は住宅地で、ここ10～15年の間に古くから建っていた家を新しく作り直し、大きく様変わりしたエリアです。生まれてからずっと住んでいる人もいれば、新しく移り住んできた人もいます。2002年、地元住民の間で、ある懸念がされるようになりました。それは、犯罪率が高く、職に就いていない若い人たちが多いこと、そしてそういう人たちが通えるような場所がまったく存在しないということです。

ボックス・ユース・プロジェクトがユニークなのは、地元の住民たちによって立ち上げられたことです。自分たちの懸念を払拭するために、自分たちでどんなものが必要かを調べたり、地元に住んでいる若者たちに直接声をかけて希望を聞いたりして、プロジェクトや計画を立ち上げてそれを実現したのです。

写真 8-1　ドックスフォード・パーク（Doxford Park）

写真 8-2　ボックス・ユース・プロジェクトの看板

写真 8-3　ボックス・ユース・プロジェクトの建物の外観

ボックス・ユース・プロジェクトの運営

ボックス・ユース・プロジェクトは今でも地域の住民たちによって運営されています。運営の核となるミーティングには、7人のメンバー（board member）が参加していて、マネジメント（経営）に関わっていた人もいれば学校教育に関わっていた人もいます。彼らの共通点は、このステート（state：自治体）に現在も住んでいるということです。フルタイム雇用者は、デニス（Dennis）さん（写真 8-4）とリサ（Risa）さん（写真 8-5）です。それ以外にパートタイムが5人います。セッションの時にだけ週に数時間働く人たちで、前線で色々なプロジェクトを運営したり会計を引き受けたりしています。そして、多くの住民ボランティアによって運営されています。現在、ボランティアの人数は18人です。ボランティアの人たちも住民です。ボックス・ユース・プロジェクトが設立された

写真 8-4　デニスさん

写真 8-5　リサさん

のが 2002 年なので、ここのプログラムを経験した人たちが、現在はボランティアとして参加することもあります。

ボックス・ユース・プロジェクトがカバーしているエリア

ずいぶん様変わりしてきたのが、若い人たちに対するサポートです。以前は地方自治体（City Council：シティカウンシル）が若い人たちが使う施設の運営に責任をもっていました。ところが、財政が縮小され、その運営費が削減されてしまったのです。その後、26 の選挙区に分かれているサンダーランド市の選挙区一つひとつが、ボックス・ユース・プロジェクトのような活動をしている団体と密接なつながりをもって、その地域の活動をサポートするように変化しています。地方自治体が直接世話をしていたことを、それぞれの団体が区域（Ward）ごとに任されるようになったのです。

26 ある選挙区のうちの 2 つの選挙区（ドックスフォード・パークとセント・チャールズ）が、ボックス・ユース・プロジェクトがカバーしているエリアで、8 歳から 19 歳までの子どもや若者の面倒を見ています。

自治体との契約の 4 つの要素

2014 年は、このエリアで生活している 920 人の子どもと若者の支援を行いました。この数はサンダーランド市（地方自治体）と契約している数に近い数です。契約には 4 つの要素があり、それをクリアしないと、地方自治体からのお金が入らなくなる可能性もあります。ひとつめは、この地域に住んでいる900人の子どもと若者にダイレクトにコンタクトするというものです。

2つめは、そのうちの450人に対して、年に4つの継続したサービスを提供することです。3つめは、900人のうち300人に何らかの前進があったことを証明することです。レコーデッド・アウトカム（Recorded Outcome）といって実績として残されるもの、それが目標になっています。この3つの要素は対象が子どもです。4つめは、対象が11歳から19歳のヤング・ピープル（young people）に代わります。それは、900人のうち120人のヤング・ピープルが自らの意思でプログラムに参加し、その結果、一定のレベルでアクレディト（accredit：認証）されるということです。

ボックス・ユース・プロジェクトの活動

契約によって地方自治体から得られるお金は、ここの運営に当たっての収入の3分の1を占めます。残りの3分の2はチャリティ団体やトラストなどに申し込んでお金を得る方法が取られます。それ以外にも、この活動の中でお金を集めるファンドレイジング（Fundraising）[1]の部分も大きく占めます。

ボックス・ユース・プロジェクトが行なっている活動はさまざまです。

この地域の子どもや若者に安全な場所を提供して、そこで友達と会ったり、色々なアクティヴィティや機会を通して時間を使うことを可能にし、それに金銭的負担がかからないようにします。子どもや若者にアドバイスやインフォメーションをして、色々な問題のサポートをします。教育またはレクリエーションの機会を与えることです。それは1年を通して8歳から19歳の子どもと若者に与えられるべきとされています。ここで生活している地元の住民と若者たちが出会う場所を提供し

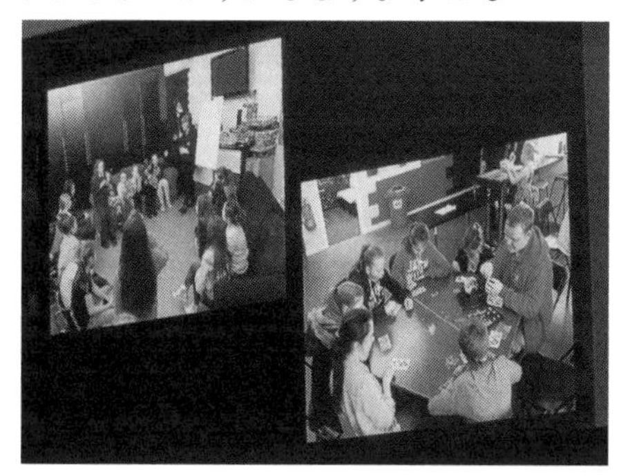

写真8-6　ボックス・ユース・プロジェクトの活動の様子

ます（写真8-6）。
どのようなプログラムが組まれているかは、次に簡単に紹介します。

2　プログラムとプロジェクト

ボックス・ユース・プロジェクトは、サンダーランド市のドッグスフォード・パークの地域の子どもたちや若者に、安全な場所を提供して教育やレクリエーションの機会を作ります。それは、1年を通して子どもにアドバイスやインフォメーションを行い、色々な問題をサポートしています。（写真8-7）そのプログラムの一部を紹介します。

キッズ・プログラム

キッズ・プログラムの対象は8歳から10歳までの子どもたちです。プログラムは週に1度行われ、学校が休みの時には、プラス1日のアクティヴィティが追加されます（写真8-8）。ここでは学校で勉強したカリキュラムの内容を楽しめるように企画されていて、80人の子どもたちが学べるようになっています。ここでは、どの子が出席し、どの子が出席していないのか確認していません。決められた席もなく、好きな時に来て帰っても、また友達をつれて来てもいいのです。色々な場面を想定していて、柔軟に対応できるようにし

写真8-7　ボックス・ユース・プロジェクトの活動

写真8-8　キッズ・プログラムの様子

ています。

ジュニア・プログラム

もうひとつのプログラムは、小学校を卒業して中学校に入るまでの休み期間に設けられる週単位のプログラムです。これまでのリサーチで、この時期に色々な問題を抱える子どもたちが多いことがわかりました。ここで取り上げる話題は、いじめに関するものや喫煙や飲酒などのリスクテイキング（Risk-Taking：危険負担）といったことを楽しい学びの場から感じてもらえるように、色々な問題を取り込んだプログラムにしています。このプログラムには、60人から70人が参加しています。

13歳から16歳になると、ドロップ・イン・セッション（Drop-in session）といって、来たい時に来て好きなものを選ぶタイプになります。1回のセッションが2時間で週に2回あります。料理のクラスがありますし、この年齢にもかかわらず将来の就労についての質問をしたり、そのアドバイスを受けに来る子どもたちもいます。また、色々な個人的問題など、取り扱うことは広範囲です。

アウトリーチ・ユースワーク

ボックス・ユース・プロジェクトの建物はそれほど大きくありません。それに、建物の場所もエリアの一番端に位置していますので、ここに来づらい子どもたちや若者もいます。ですから週に3回はアウトリーチといって、外に出て、プロジェクトを別の場所で行える工夫もされています。場所は、森の中やショッピングセンターの入り口でなど様々です。

ボックス・ユース・プロジェクトで取り扱う色々な問題や議題は、アウトリーチから拾う場合が多くあります。シーカード（Sea card）というスキーム（scheme）と呼ばれていて、集めてくる議題は、人間関係に関することやメンタルヘルスの問題なども挙げられます。また性に関する問題も挙げられて、プロジェクトで対応できない場合は、他のエージェントを紹介するサービスもあります。

ヤング・ボランティア・プロジェクト

ボックス・ユース・プロジェクトが行なっているプロジェクトの中で一番誇りに思っているのは、ヤング・ボランティア・プロジェクト（Young Volunteer project）です。年齢が14、15歳になると、ユースクラブに行くことに抵抗を持つ子どもも出てくるのですが、このプログラムは、サンダーランド市内で3カ月間参加者数が1位を誇っているのです。

具体的には16歳～19歳までの若者たちが、18～20人くらい集まって、積極的にボランティア活動に参加するプログラムです。その人たちがここでボランティアをすることにもつながっているのです。

プロジェクト・ガンビア

もうひとつの自慢できるプロジェクトはプロジェクト・ガンビアです（写真8-9）。これは、1年に5歳から25歳までの子どもたちの3グループを西アフリカのガンビアまで連れて行く自己開発プログラムとして人気のあるものです。参加を決めた子どもたちは、申込書を書いて、面接などを受けて参加が決定すると、参加に必要な費用を自分でボランティアなどして集めていきます（写真8-10）。費用は1,300ポンド（23万5,300円。2015年度平均の1ポンド＝181円で計算）ですが、参加費用が集まる期間は子どもたちによっ

写真8-9　プロジェクト・ガンビア

写真8-10　プロジェクト・ガンビアへの募金

て違います。数週間から数カ月で集める子どももいれば、1年以上かけて集める子どももいます。このプロジェクトに参加したあかつきには、プロジェクト参加の証明書としてプラチナム賞が与えられます。ボックス・ユース・プロジェクトの子どもたちが全国で一番多くこの賞を受け取っています。

プロジェクト・ガンビアで、ガンビアに行く期間は2週間です。ただし、参加する2週間という期間だけではなく、その準備としてお金を集めたり家族を説得したりしなければなりません。そういう経験をすることでリーダーシップや起業力、ビジネスのノウハウなどを、このプロジェクトに参加することで身に付けることができます。ガンビアの滞在中は、学校で国語や算数などの基本教科を教えたり、ワークショップやスポーツなど、色々な活動を行い、内容が充実しています。

子どもたちや若者がこのプロジェクトに参加することで、かなりの成功例が見受けられます。たとえば、最初に参加したグループは13人で大変難しい境遇にある若者たちでした。彼らは何の資格もなく学校を卒業し、ニートの状態の人たちだったのです。ところが、このプロジェクトに参加した6カ月後には、13人すべての人たちがフルタイムの職を得ることができたのです。

オルタナティブ・エデュケーション・プログラム

また他のプログラムとして、パートナーシップを組んでいる近所の公立の中学校で、ファーリンドン・コミュニティ・アカデミー（Farringdon Community Academy）という中学校があります。そのクラスのひとつという考え方で、オルタナティブ・エデュケーション（Alternative education：代替教育）[2)]、本筋の代わりになる教育というプログラムを組んでいます。対象年齢は14歳から16歳です。

学校教育にそぐわない子どもたちをここで、机の上の教育ではなく、特にアクティヴィティなどを代わりに与えることによって、疎外感を排除して元の主流の学校にいる子どもたちと密接なつながりを持たせたり、元の場所に戻りやすくしたりすることが目的です。

モチベート・プログラム

ニートの若者たちに対するサポート支援です。対象は16～19歳で、無気力で何もすることがない若者のための4週間の集中コースで、参加者は5～6人です。この年齢の人たちはデリケートなので、少人数で徹底したサポートが必要だと考えるからです。4週間の集中コースが終わった後は、集中度を少し下げた4週間のコースが設けられています。職業に就くための色々なスキル、たとえば面接、履歴書の書き方とか、そういった具体的に職を得るためにほとんど必要なことを網羅しています。

ドックスフォード・パークの地域のニート率は、他のエリアと比べて最低を記録しています。実際、2014年の段階で35人のニートだった人たちが職を得るかもしくは高等教育へ進むという実績をあげました。

プログラムの成功要因

プログラムが成功している原因を探ってみると、いくつかの要因が挙げられます。ボックス・ユース・プロジェクトは、地元のコミュニティにしっかりと根付いていて、住民や家族の協力が最大限得られていることです。

もうひとつは、運営にあたっているのは、地元の人であること、つまり地域と関係を持たない役所の人たちではなく、地元の住民が自ら運営に関わっていることで、そのニーズが分かっていることです。年齢の低い段階、8歳という年齢の子どもたちにもどのようなプログラムをしたらよいか、アイディアを調査したり、アクティヴィティの運営に直接関わっていくことで、参加率がたいへん高いのも成功の要因のひとつと考えられています。自分たちが決めたことを自分たちでやるという自主性、そちらのほうに興味を引かれる子どもたちが多いようです。

そして大人だけでなく若者のボランティアもプログラムに参加して、その人たちが実際の色々なプログラムを運営しています。ボランティアなしではこういった成功は見込めません。

効率よく運営している工夫のひとつとして、他のエージェンシーとの密接な関わり合い、たとえば情報の共有や協力、また地元のコミュニティ・グループ[2]との協力も欠かせません。そういった協力体制があるおかげで費用を抑えることも可能となっています。来るものは拒まずということで、「この人たちとは提携を結びたくない」ということはせずに、広く門戸を開けているのも成功の要因のひとつです。

ということで、もうひとつはオープン・ドア・ポリシー（Open-door policy）です。協力体制はもちろんのこと、実際にここのサービスを利用する子どもたちや若者にも特定の枠はつくっていません。そのため、チャリティ団体からの基金が受け易くなっています。すべての子どもや若者たちも受け入れていることで、どこからでも基金を受け入れる準備ができています。いくつかのエージェンシーで特別なカテゴリーの若者たちを相手にしたサービスを売りにしているところがありますが、ターゲットを絞るとそこからしかお金が入らないのです。またターゲットを絞ってしまうと、「あそこに子どもが行っているなんて」と、見られることを嫌う両親の存在もあります。しかしここでは、誰でも受け入れられていることで、差別的に見られることもないのです。

3　課題

行政からの収入減少に伴う問題点

ボックス・ユース・プロジェクトは、地方行政の財政縮小によって、2014年は1万8,000ポンド（325万8,000円。2015年度平均の1ポンド＝181円で計算）の補助金を得ることができませんでした。2015年も1万8,000ポンドの減収が見込まれています。そして2017年には地方行政からの収入は見込めません。建物の光熱費なども含めた維持費だけで年間5万ポンド必要になります。

こういった組織には、ユース・ワーカー（Youth Worker）[3)]と言われる優秀な人たちも多く働いていますが、減収になると、この人たちは他で職を得なければなりません。ユース・ワーカーがいなくなってしまうと、お金が入ってくるようになっても再びその人たちを確保することが難しくなる問題を抱えることになります。行政の財政縮小に伴い、活動していたユース・クラブが閉鎖に追い込まれています。つい2週間前には、少し離れたところにあるユース・クラブが2つ閉鎖されました。そのエリアにいる人たちの世話をどうするかということで、7〜8人のプロジェクトをボックス・ユース・プロジェクトで受け入れてくれないかという問い合わせも入っています。

若者に対する支援の中で行政が一番削減しているものは、メンタルヘルスに対するサポートで、どんどん縮小傾向にあります。若者や子どもたちが精神面で何か問題があるかもしれないと提示されてから最初にアセスメント・サポートが受けられるまで、6カ月の月日を要しているのです。

収入の減少は確実なので、トラスティ（trusty：信頼できる）のメンバーによって、その対応策について話し合いがされています。それは他のエージェンシーとの協力体制にあります。他のエージェンシーとサービスの提供をシェアできないかなど、コストダウンやサービス効率化を諮っています。サービスを持続させるための秘訣について、日々模索し続けています。

ユース・クラブの制度的な位置づけ

ユース・クラブ[4)]はイギリスの国の制度に位置づけられるもので、ボックス・ユース・プロジェクトには、自治体からお金が出ています。ユース・クラブになるためには、ユース・ワークの提供を地方自治体に認めてもらうのですが、いろいろな条件をすべて満たしていくことが必要です。自治体からの指定は2年ごとの契約更新があります。建物を所有しているユース・クラブは2つの区（エリア）ではボックス・ユース・プロジェクトだけですが、それ以外に、建物を持たないプロジェクトベースのユース・クラブも存在します。自治体の助成なしに運営しているユース・クラブもありますが、規模は小さくなります。たとえば週に2回だけ、あるいは1週間に16時間だけなど、限られた時間しか開けることができないのが現状です。

若者支援はカウンシルの義務ではない

カウンシル（Council：自治体）が補助金を廃止する理由は財政難です。若者支援は、自治体がやっていいことのひとつではありますが、義務ではありません。他にもカットされたプロジェクトがあるそうですが、自治体の義務ではないところからカットされているのが現状です。

地方自治体が何か新しいことを始めたり既に行なっていることをやめたりするためには必ず調査が行われ、行政がその理由を証明する必要があります。ユース・ワークの調査も行われましたが、調査の仕方に問題がありました。オンラインのサーベイ調査（アンケート方式でタイプインするようなもの）で調査期間も4週間という短い期間でしたが、最初の2週間はエラーで入れない状態だったそうです。4週間のサーベイ調査をするアナウンスがなかったことに加え、それを知っていてやろうとしていた人たちも最初の2週間はできなかったのです。

その障害に気づいた時点で、オンラインではなく紙のアンケートをお願いして作成したのですが、8頁にも上るものだったために、回収率がそれほど高くなかったという問題点もあげられています。つまり、こういった若者の支援のためのグループについて色々な立場で考えていくための資料・データが欠損していたことが、大きく評価されなかった原因になったと考えられます。

自治体では代替に、市内中心地にレジャーセンターを作る計画があります。「若者のために素晴らしい建物を建てている」とアピールが出来ますが、費用は40万～60万ポンド（7,240万円～1億860万円）に上ります。その金を捻出するために、エージェントが閉鎖や収入減に追い込まれているのです。市内中心地にレジャーセンターを作ったとしても、そこに行く人たちは限られた人数になります。たとえば10歳前後の子どもたちは自分たちだけで危ない街の中心地に行くことは出来ません。ですから市の中心に形だけきれいなものを作るというのはあまり意味がないと考えています。

ニートをどのように支援するか

ニートの若者たちへの支援のプログラムとして、履歴書の書き方などはありましたが、そもそも働く意欲のない人の意欲を引き出すことはとても難しく重要です。ニートの人たちの動機付けの作戦のひとつとして、3日間時間通りに来てプロジェクトに参加したら1日あたり10ポンド（1,810円）がもらえるという方法があります。さらに、課せられた4週間のプロジェクトを終了した段階でボーナスとして25ポンド（4,525円）が与えられます。ただし、その出来はよくなければならないという条件があって、客観的な評価のラインが設けられているそうです。その後にサポートの密度を減らしたプロジェクトに4週間参加します。その後、高等教育に進んだり職業に就いたりする人たちには、6週間その状態を維持していると証明された段階で50ポンド（9,050円）のボーナスが出ます。

ボーナスは通常の予算からではなく、6つの自治体と契約しているコネクションズ・サービス[5)]から出ています。コネクションズ・サービスにはヨーロッパから金が流れていて、予算とは全く別枠のお金です。ただし、このプログラムはハイリスクです。成功率が低い場合は費用の60％しかおりてこないため、40％は赤字になる可能性があります。しかし、成功すると都度、若者に払う金はそこから入って来ます。

ニートへのサポートの試み

日本ではひきこもりは社会に適応できません。そういった問題は英国にもたくさんあります。ニートの人たちは、待っていればプロジェクトに来るということはありません。このような若者を探し出すことが最初の目的になります。学校と密接なつながりをもっていて、「この子はあまり友達がいなくて少し引っ込み思案のところがあるので心配なんです」という相談を受けることもあります。

学校の校門の近くに待機して、そういった子どもたちや若者に直接問いかける試みがされています。「生活はどう？　どんなことがしたいのかしら」と、その子に必要なニーズを問いかけることから始めて、適応するプロジェクトを紹介することで成功するきっかけになることもあります。ペアで行動させることも時には効果があります。その学校に通う子どもたちに、引っ込み思案の子どもたちとどう接すればよいかというトレーニングをすることによって、大人には心を開かない子どもでもペアで問題解決しながら、外に連れ出せることがあります。

気にかかる子どもをボックス・ユース・プロジェクトが見つけるパターンと学校の先生が見つけるパターンと、子ども同士の中で気にかかることをボックス・ユース・プロジェクトに言うパターンがあります。色々な方法で子どもたちや若者がここに来るわけですが、この場所の存在が知られているのと合せて、いつどこに行けば学校でボックス・ユース・プロジェクトと接触できるかよく知られており、それが子ども達や若者達へのアプローチのしやすさにつながっています。気にかかる友達がいると相談しに来ることもあれば、それが実際は自分のことだったということもあります。友達のふりをして実際は自分がサポートを受けたいということもあるわけです。

イヤー・マネジャー

先生と密接なつながりがあるのですが、それよりもさらに密接なつながりを持っているのが、イヤー・マネジャーと言われている人たちです。クラス担任とも学年主任とも違う、その学年の子どもたちに何か問題があった時に、他の人たちの手助けを求めることを知らせる役目のような人です。英国では子どものうちに性体験して、ティーン・エイジで妊娠してしまう問題があります。まだ学校に通っている年齢なのに家庭の問題でホームレスになってしまっている子どももいます。何らかの異変があれば報告するのもイヤー・マネジャーの義務であり仕事です。

イヤー・マネジャーとプロジェクトは密接なかかわりをもっているので、サポートが必要な子どもたちを発見しやすい環境はある程度整っています。ただし、これは完璧ではありません。

日本にはスクール・ソーシャルワーカーがいて、たぶんイヤー・マネジャーと同じ機能をもつ人のようです。ただし、イヤー・マネジャーは学年にひとりですが、日本のスクール・ソーシャルワーカーはひとつの学校にひとりです。

イヤー・マネジャーの職能団体として、ナショナル・アソシエーションがあります。国内のものと地方自治体のものという２種類が存在します。国内での資格養成学校がすごく足りない時期がありました。そのサポートのためにローカルなレベルで資格の養成をした方がいいのではないかということで、資格養成が地方地方で始まりました。そのバックグラウンドに、ユース・クラブのマネジャークラスの人たちが、国レベルの資格を持ち、パートタイムの人たちがローカルの資格をもっている場合が多いです。

自分たちに支払われる経費・給料というものに対して、何らかの影響を与えたり、予算を削減されているプレッシャー団体として働くことはないのでしょうか。イギリスには大きなユニオンがあって、ユニオンには少額の金を出せば誰でも参加できます。先生はメンバーが多いので、それだけでひとつユニオンが組めます。そうではない職種の人たちというのは、たとえば、大きなユニオンのその部門のメンバーになることはできます。ペイの問題だけでなく交渉することは可能です。

注

1) ファンドレイジング（Fundraising）とは、民間非営利団体（Non-Profit Organizations：日本では公益法人、特定非営利活動法人、大学法人、社会福祉法人などを含む）が、活動のための資金を個人、法人、政府などから集める行為の総称。主に民間非営利組織の資金集めについて使われる用語であるが、投資家や民間企業に関連する資金集めに使われる場合もあります。
2) オルタナティブ教育（Alternative education：代替教育）とは、「非伝統的な教育」や「教育選択肢」とも言い、主流または伝統とは異なる教授・学習方法を意味します。オルタナティブ教育の対象は幼児（園児）・児童・生徒ですが、ここでは便宜上「生徒」と統一します。オルタナティブ教育方法の多くは、主流・伝統的な教育とは根本的に異なる哲学に基づいて発展したものです。ヨーロッパのシュタイナー学校やアメリカのホームスクールに見られるような非常に強い政治的、学術的、宗教的または哲学的な方向性を持つものがある一方、アメリカのチャーター・スクールに代表されるような既存の教育手法に不満のある教師や生徒が集まって作りあげた学校もあります。教育選択肢には、公立校、私立校、無認可校（営利・非営利)、ホームスクールなど多岐に渡っていますが、大部分が少人数クラス、教師と生徒との近しい関係、コミュニティ意識の三点に重きを置いています。
3) イギリスで生まれ、1970年代まではユースサービスと呼ばれていました。定義は、「青少年の余暇時間に、家庭や学校や職場では得られない機会を提供して、個々人の身体、精神、知性の資質を発見し、発達させ成長して、自由社会の一員として、成熟した創造性に富む社会の責任ある人間になるように、手をさしのべることである」（1860年の政府の定義）とされています。18世紀の産業革命によってもたらされた、青少年の劣悪な生活環境や労働環境を改善して、青少年を救済するサービスとしてイギリスでは始まりました。

また、「ユースワーカーの資格認定制度があるイギリスでは、イギリスのナショナル・ユース・エージェンシー National Youth Agency の倫理規定によれば、ユースワーカーとは、依存から独立への移行期である若者の個人的・社会的成長のために力を引き出し、彼（女）らの住む世界――コミュニティ――において彼（女）らの意見に影響力を与えるというかたちでサポートし、社会における若者の居場所を確立することであり、若者を第一に考える視点を持ちながらユースワークを行うこと、と定義されています。そして、イギリスでは中学校区程度に一館のユースセンターがあり、そこで常勤、非常勤、ボランティアのユースワーカーが働き、ユースワーカーは、家庭崩壊や地域の教育力低下に起因する青少年の心と体の荒廃に立ち向かうために生まれた、とされます」（大村惠 2003：1）。より具体的には、遠藤保子・水野篤夫（2006）を参照して下さい。

4）井上慧真（2016）によると、「イギリスにおけるユースワーカーの活動場所の分類」では10の活動場所があり、「地方当局やボランタリー組織が運営する施設である」ユースクラブ・ユースセンターはその中の1つです。

5）「英国のコネクションズ・サービスの概要」については、英国コネクションズホームページ（http://www8.cao.go.jp/youth/suisin/jiritu/08/siryo08-2.html）、及び、日本労働研究機構（2003）を参照してください。

文献

井上慧真「イギリスにおけるユースワーカー養成に関する一考察―高等教育機関との関係を中心に―」『教育・社会・文化：研究紀要』16、京都大学学術情報リポジトリ、2016年3月15日、pp.1-21。

遠藤保子・水野篤夫「青少年を支援する専門職（ユースワーカー）養成と力量形成―ランカスター大学セイント・マーチンズ・カレッジのカリキュラムを中心として―」立命館大学人間科学研究所『立命館人間科学研究』12、2006年、pp.45-54。

大村恵（2003）「ユースワーカーとは」『ユースワーカー通信』1、ユースワーカー事務局、愛知県民生活部社会活動推進課青少年グループ、2003年、p.1。

日本労働研究機構「資料シリーズNo.131　諸外国の若者就業支援政策の展開―イギリスとスウェーデンを中心に―（概要版）」2003年3月31日。

第9章 若者の就労支援と地域再生 SPACE2（ニューカッスル）

1　スペース2とYMCA

スペース2とは？

ニューカッスル・アポン・タイン（Newcastle upon Tyne）は、イングランド北東部、タイン川河口近くに位置する工業都市で、タイン・アンド・ウィア州に属します。しばしばニューカッスルと略されます。またニューキャッスルと表記されることもあります。市の人口は約30万人。周辺都市のゲーツヘッドやサンダーランドを含めた100万人都市圏の中心でもあり、北部イングランド最大の都市です。

私たちは、2015年11月、ニューカッスルの中心街に所在するスペース2を訪問しました（写真9-1、9-2）。スペース2は、YMCAニューカッスルの5つのプロジェクトのひとつです。若者の生活や就労に関する幅広い支援サービスを提供しています。

写真9-1 ニューカッスル中心部のビル1階にあるスペース2

写真9-2　スペース2の看板

写真9-3　チーフエグゼクティブのジェフさん

対応していただいたのは、スペース2のチーフエグゼクティブのジェフ（Jeff）さんです（写真9-3）。数分間のパワーポイントを使っての説明と場所を変えてディスカッションをしました。スペース2の建物は、ニューカッスルの中心部のビルの1階にありました。この建物はなぜスペース2という名前なのか聞いてみました。「2（トゥー）」というのは英語でよく使う言いまわしで、発音がtoで「何々のために」ということです。だから「スペースto」、「何かをする」という意味です。例えば、「to出会う」、「to勉強する」、そういった「このスペースは何でも利用できますよう」という、キャッチーからきていました。

4人のフルタイムスタッフと2人のパートタイムスタッフがいます。そして20人ほどのボランティアの人たちがいて、そのうちの2人くらいが1日働きにきてくれます。4人のフルタイムスタッフがだいたい100人のサービスを受けに来る人たちの面倒を見ます。2人のパートタイムスタッフが専門職の部門を見ます。ボランティアは何をしているかというと、ダンスやキッチンでボランティアをしています（写真9-4、9-5）。

私たちの訪問時には、ひとりのスタッフと2人のボランティアが来ていました。セッションを待っている人たちもいました。ボランティアは若い人たちです。大学生かと私は勝手に思っていましたが、そうではなく、地元の若い人たちでした。だいたい17～18歳です。2年間くらい、スペース2でボランティアをしているそうです。ボランティアには報酬はありません。家が遠い場合には交通費などを

写真 9-4　ダンスルーム

写真 9-5　キッチンルーム

支給する場合もありますが、交通費支給は必須ではありません。ただし、食事はスペース2でとれるそうです。彼らは職業体験をスペース2でやっているということです。それは、後述する、「長い道のりの一歩」です。

YMCA は世界で最も古いチャリティ団体のひとつ

プロジェクトを運営する YMCA について説明します。

YMCA（Young Men's Christian Assosiation＝キリスト教青年会）は、キリスト教主義に立ち、教育・スポーツ・福祉・文化などの分野の事業を展開する非営利公益団体です[1)]。若い人たちにとってのチャリティ団体であり、恐らく世界で最も古いもののひとつだと思います。また、一番誤解されているチャリティ団体でもあります[2)]。YMCA は色々なところでたくさん見ることが出来ますが、一つひとつが実際は独立した機関です。ですからその一つひとつはそれぞれ好きなことをやっています。

独自性をもっているということで、メリットとデメリットが生じます。デメリットは、統一したポリシーがないことです。メリットは地域のニーズに合わせて必要な行動が独自に決められる多様性です。

イギリスには 199 の独立した YMCA があります。YMCA ニューカッスルもそのひとつになります。ニューカッスルの YMCA が設立されたのは 1849 年で、2017 年から遡ること 168 年です[3)]。設立以降、ニューカッスルの若者たちをサポートするチャリティ団体として存在しています。

YMCAは、イギリスのプロテスタント教徒によって創始されました。創始者はイギリス人のウィリアムズ，ジョージ（Williams, George）です。プロテスタントの精神で運営されていますが、別にクリスチャンでなくても参加でき、キリスト教徒以外のマイノリティの人も利用しています。現在は宗教でラインは引いていません。イギリスでは往々にして昔からある名称の頭文字（YMCA）だけにしているケースもあります。その理由の1つが、現在の社会に適応しない場合があるからです。YMCAのCはクリスチャンでしたが、現在はまったく関係なくなってしまったので、ただ単にYMCAという名称にしています。ですから現在は「C」はクリスチャンの代名詞ではないわけです。キリスト教は弱い者を助ける、みんなで協力する、という方針は変わっていません。でもそれは設立された当時の話であって、現在はクリスチャンとは関係なくなっています。ただ、そういった精神は引き継いでいます。

YMCAの収入と支出

図9-1はYMCAの財政状況で、チャリティ収入の部門です。ほかのチャリティとの違いのひとつは、このチャリティは長い歴史をもっていることです。つまり、プロパティ物件をもっているということです。プロパティ物件からの収入があるので、それが年間200万ポンド（3億6,220万円。1ポンド＝2015年平均181.10円で計算）になります。なぜかというと、とくに1900年代の話ですが、金持ちの人たちがYMCAの人たちのために、市内中心地に建物を購入してYMCAに寄付をしたからです。27%がレント（家賃）、プロパティ（property）収入です。33%が助成金とチャリティ団体からの寄付です。残りの36%は、サービスを提供することと引き換えに入ってくる収入、コントラクト（Contracts）収入になります。10年前まではこの内訳はプロパティからの収入と寄付がメインでコントラクト収入はありませんでした。

図9-2が支出の部門です。5%が運営に直接かかわっている部分です。65%が若い人たちのために使われているユースワークという部門です。そして30%がオルタナティブエドゥケーション、学校

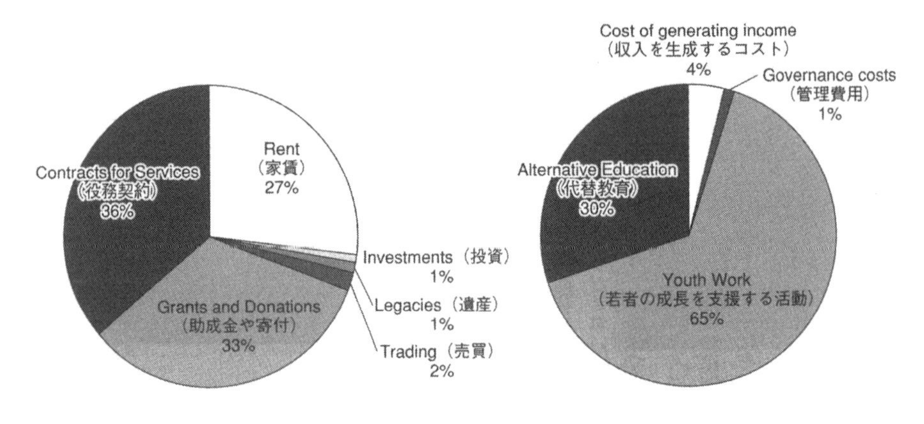

図 9-1　収入（Income：2015 年）　　図 9-2　支出（Expenditure：2015 年）

の本来の筋から外れそうな、もしくは外れてしまった子どもたちを本筋に戻すというオルタナティブエドゥケーションの部門です。あとでオルタナティブエドゥケーションは、失業の話と合わせてでてきます。

年間運営経費は 10 万ポンド

YMCA ニューカッスルが活動するのに必要な 1 年間の運営経費は 10 万ポンド（1,811 万円）です。学校を出て全く仕事をしなかった人たちにかかる行政が後に支払わなくてはいけないひとり当たりの金額というのが、5 万 2,000 ポンド（941 万 7,200 円）と試算されています。ということは、2 人助けたらペイできるということです。ところが地方行政というのは、自分たちのセクションですでに職業斡旋所をもっているので、そのために YMCA ニューカッスルにはサポートしてくれません。ところが地方行政の職業斡旋所は、「このポストがあいています、さあ、あなたはここどうですか」というようなマッチングしかしないので、根本の改善、その社会的改善にはまったく手を付けないままです。これは社会の改善点を「千マイルの道のり」だとすると、考えなければならない一歩のひとつだといえます。

年 10 万ポンドの経費にはパートタイムの費用もすべて含んでい

ます。「スタッフの給与はあまり高くありませんね」と聞くと、「その通りです。愛のためにやっていますから」とジェフさんは笑って答えました。10万ポンドというのは、常勤4人の給料が含まれています。年間平均給与は1万6,000ポンド（289万7,600円）（年間税金込み）だそうです。

スペース2でやっていることは、YMCAニューカッスルがやっている5つの部門のうちのひとつで、他の4つの部門と合わせると100万ポンド（1億8,110万円）にのぼるそうです。YMCAニューカッスルのすべてのスタッフ数は32人です。そのうち、スペース2では4人ということです。スペース2のプロジェクトは、100万ポンドの10分の1なので、プロジェクトの中では一番お金をかけているところです。なぜスペース2が一番高いかというと、市の中心だからです。

2　地域の特徴と若者が抱える困難

地域の特徴

写真9-6は人口の分布を表しています。ニューカッスルの地図を見ると、地図の下方に見えているのがタイン川です。サンダーランドエリアは、川の上の5つの地域をベースにしています。

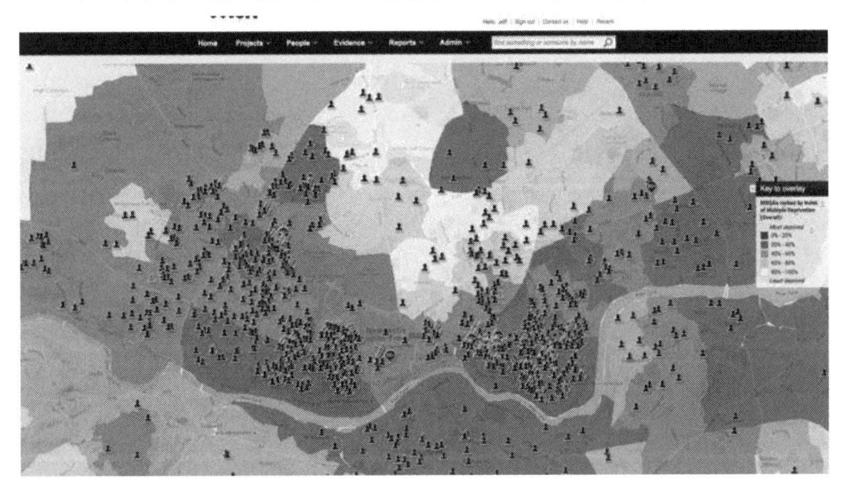

写真9-6　ニューカッスルの地図

人間（地図上のドット）のバックグラウンドの部分の色が濃い色になればなるほど貧しい地域になります。イギリス政府は色々なことを調査するのが大好きで、これもそういったところから作成されています。富裕層と貧困層とわけています。一番濃い色の部分は、イギリスの所得金額の最低20％の人たちです。

なぜニューカッスルの市がこのような分布になっているかということです。ほとんどの大都市というのは川を中心に発展してきました。川を中心に発展した都市に往々に見られがちなのが、川が一番谷にあるということで、そういった都市でお金持ちになった人たちは高台の環境の良いところに引っ越す傾向がみられます。たとえば、臭いであるとか、排水の良いところ、そういったとこころに移ります。地図を見ると三角形になっていることに気付くと思います。三角の頂点に立っているところ、それが一番金持ちのエリアとなります。下に下にと推し込められているのが貧しい人たちということになります。

地域産業の変遷

川のすぐ上の地域が市民の大部分が生活しているエリアです。そして市は、この大部分の人たちが就労していたある特定の企業がこの人たちを雇用していたという過去があります。石炭の採掘です。ところが石炭の採掘というのは、色々安いものが出てきたために、社会的な競争力を失ってしまって、閉鎖に追い込まれてしまいました。その後は造船という新しい産業が始まりました。そしてこれも世界的な競争力を失ってしまいました。

競争力以前の問題に、大戦争が終わったために、造船の需要自体が減ったという要因もあります。そういったことで、ほとんどの人々が失業者になってしまいました。それで、男性は妻や子どもを養うことが難しくなってしまいました。

造船で仕事を失った人たちの代わりに台頭してきたのがサービス業やコールセンターという仕事です。そうなると今度は女性に適した仕事ということで、女性の失業率が減って、男性の失業率が高くなっていきました。

コールセンターの仕事ですが、イギリスの各企業は、電話料金の安い、また人件費の安い外国にコールセンターを外注するようになってしまいました。そしてコールセンターが閉鎖してしまいました。

企業の代わりにということで、政府が公共セクターを特に北の都市に配置しようという動きがあり、税務署、年金部門がニューカッスルに置かれるようになりました。これらもどちらかというと女性の就労率が高い職種になるので、女性が働きに出て男性が失業するというのはそのままです。

その後、景気後退に伴い、政府が打ち出したのはオスタリティ（Osutariti）という財政緊縮政策です。そのため、公共のセクターをどんどん縮小していくことになっています。ですから将来どうなるかはすごく不透明になっているのが現状です。

プライベートかパブリックか、どのようなセクターがニューカッスルに入ってきて雇用主になるかというと、多分それは期待できない可能性が大きいです。ニューカッスルの古い伝統的な考え方からすると、昔は男性が、とくに肉体的な仕事について、そして家族を養うという図式だったのが、20年前にそれが逆転して女性が働きに出るということになっています。ところが背景になる文化というものは、あまり変わってないわけです。

若者が抱える困難

ではどのようなことが若者の就労の壁になっているかということです。そのひとつ目が教育です。なんと半分以下の子どもたちしか、学校の必須課程を終えていません。500人の子どもたちが学校生活をできていない状況です。

次の壁は貧困です。川沿いに住んでいる50％の人たちは、イギリスでカテゴライズされる「貧困層」に属しています。ただ貧困というのは世界も広いですから、恐らく一言で貧困と言ってもいろんなレベルがあります。ジェフさんは、インドに住んだ経験もあり、旅行の経験も多いので、貧困というのは、食べる事にも事欠く地域もあることもわかっています。ですからこの場合の貧困というのは、イギリスの生活レベルにおける貧困ということです。この人たちは住むところもありますし、NHSのサービスを受けることもできます。貧困のラインは「所得の全国平均の３分の２に満たない」ものを「貧困」と定義しています。

すごく大きな壁のひとつというのが、希望とか文化、そして向上心、そういったものが足りないということです。このエリアの人たちは、3世代にわたって失業している世代です。ですから、生まれた子どもにも仕事を得ることを期待すらしていません。仕事に就くこと自体が彼らの生活からすると、普通ではないからです。ということで、向上心自体がない為に、そのための教育を受けようとする気持ちが起きないわけです。

もうひとつのティーンエイジの人たちのための壁が、住居です。親と一緒に生活するには親が生活費を出せない状態にありますし、独立して家を出るには資金が足りない人達です。

もうひとつはモービリティの問題です。イギリスは物価が高いということですが、働きに行くための手段、公共の乗り物の手段が高価ということです。ですから移動が難しい。仕事に行くための交通費が2時間分の時給に相当します。最低賃金は決められているけれども、若者と一般の人と年齢でカテゴリーが2つ定められていて、若い人たちの賃金は低いです。現在のところ最低賃金が18歳以下の場合は、1時間当たり3ポンド50ペンス（633.85円）です。都心に出るには、往復で3ポンド10ペンス（561.41円）かかります。仕事自体も少ないエリアですので競争率も高くなります。そして競争率というのは、大学新卒者の5万人という数が競争しているわけです。

職種でも簡単な仕事、例えばサービス業とかバーとか、レストランのウエイティングスタッフとか、ショップアシスタントとか、そういった簡単な仕事ですら、競争率が高いために、新卒者を採る企業には大学を出た人たちがたくさん応募してきます。そういう人たちを採用してしまうので、川の側の学校にも行けなかった人たちや行ったけれども特に資格をとれなかった人たちは採用されないわけです。新卒の人たちの就労率というのは、この地域の人たちを踏み台にした上で成り立っています。そして川沿いの若い人たちの95％は、大学には進学していません。

このように、たくさんの問題がこの市に流れ込んできています。

貧困と健康

写真９-７　Support & Advice のスライド

それでは、YMCA では、若い人たちに就職のためのサポートやアドバイスをどのようにしているのでしょうか（写真9-7）。有名な言葉があります。「千マイルの旅は一歩から始まる：A journey of a thousand miles begins with one step」ということです。その長い道のりの中に、どのようなことが含まれるのか。

ひとつ目がエンゲージ（engage：関与、社会参加）するということ、それから動機付け、インスパイア（inspire：鼓舞する）、行動を変えること、知識を得るということ、手に職をつけること、そして機会があればそれを掴むこと、それを教えるわけです。

そして道のりは長いだけではなく平坦でもないわけです。それに必要なのは、まず機会、リソース、サポート、健康、栄養、レジリエンス（resilience：逆境力）、そして希望といったことが、平坦でない道のりをゆくのに、必要になります。

貧しいところに住んでいるので、やはり機会もなければリソースもないことになります。サポートいうのも家族から受けられる場合がたいへんに稀ということになります。貧しいところに住んでいるということで健康にも影響があり、裕福な地域と川沿いの地域で平均寿命が13年違います。そして最後の10年は病気として過ごすわけです。裕福な地域というのは亡くなる前の５年間を病気で過ごすというのが平均値となっています。これはどれくらいの距離かというと5km の距離です。

社会的企業で収入を増やす

スペース２では、社会的企業で収入を増やそうとしています。そのお金を使って若い人とともに進んでいこうとしています。マムズ（Mams）というのはケータリングのサービスです。若いお母さんたちがボランティアとしてここで働いています。そして、そこから

写真 9-8　Family Work のスライド

上がった収益はその人たちのためのプロジェクトとして使われます。たとえばトレーニングをしたりします。

会社のミーティングの際、またはイベントの際のケータリングを担当したりする、そういう職です。たとえばお母さんたちが集まって、半分のメンバーが子どもたちの面倒を見て、半分の人たちが食事をつくるといったやり方をしています（写真 9-8)。そこから上がった収益がトレーニングのコースに使われるわけで、2014 年の実績では、そういったお母さんたち 10 人の内、7 人がトレーニングコースのおかげでフルタイムの職を得ることが出来ました。

色々な機材のレンタルといった職もあります。そういった機材というのはオーディオ機材だったりします。イベントなどの際にそういった音響の機材を使うトレーニングをして、それを貸し出すことによって、色々な収入を得ることが出来ます。機材の使用法のスキルを若い人たちが身につけるという目的があります。その時にマムズがケータリングで食べ物を出したりします。

その場所ということでは、スペース 2 の建物の色々な部屋を企業に貸し出したりイベント会場として利用したりするわけです。そういったところから得られる収益というのがまたお金として入って来て、次のプロジェクトにつながって、それがうまくサイクル持続して循環していくわけです。

専門職のクラブも設けられています。2015 年に入って 70 人の若者たちがそのクラブを通じて、就労することが出来ました。その数というのは政府が運営している職業斡旋所の数よりも多いです。

自営業をスタートさせようというプロジェクトもあります。若者の自立自営業精神を高めようというコースも設けています。たとえばマーケットに出す前のモニター、そういった制度などを利用することもあります。たとえば洋服のデザインを作る時に、スペース 2

でいったん試してみるというような、そういったことも含まれます。

3　若者たちのサポート

社会的企業とチャリティのミックス

ニューカッスルと同じことを南イングランドではできません。家賃も人件費も高いからです。ニューカッスルはイギリスを地域別に見た時、北東エリアに位置しています。イギリスの中で一番平均給与の低いところです。失業率が高いことと、スキルを持っていない人が多いことで、平均給与が低くなっています。

スペース２の建物は賃貸しています。今、このエリアは景気が悪いので、たくさんの物件が空き部屋になっています。スペース２のリースを持っているオーナーは、街の中に物件を持っています。家主はリースのオーナーになり、リースのオーナーからスペース２の建物を借りています。ということで、リースのオーナーは地主や家主にお金を払わないといけません。空いていると家賃収入が無いので、地主や家主にお金が払えないので、安い値段でも貸そうとします。イギリスでは、レイト（Rates）[4]という法人税が課されます。借り手がチャリティ団体の場合は軽減されて、物件にかかる税金が20％と少し特殊です。リース家主からすると、チャリティ団体に貸すとその収入にかかる法人税に当たる税がほかよりも安いので、チャリティ団体に貸すのが得策です。それで、YMCA ニューカッスルは安く借りることができています。

実はスペース２の建物の外に出た通りは、ロンドンを除けばイギリスで一番家賃の高い通りだそうです。たとえばどれくらい高価かというと、スペース２の建物前の道を挟んだ向かいに小さな店があります。そのサイズは大変狭いのですが、年間家賃が２万5,000ポンド（500万円）くらいだそうです。そして、おそらく年間の法人税も同額くらい支払わなくてはならないそうです。

社会的企業とチャリティのミックスというコンビネーションは、シャッター街にもならないことにも一役かっています。

YMCA の活動＝サポート＆アドバイス

次に YMCA がどのような活動を行なっているかです。地域ベースのアクティビティやサービス、その地域に求められたことを幅広くサポートし、アドバイスの提供を行なっています。両親のためのアドバイスやサポートが不充分であるか適さない場合にも施されます。

YMCA では、人間は必ず信用できる誰かを持つべきだと考えています。何の壁もないサポートを、若い人たちに提供すべきだと考えているのが YMCA です。

YMCA はホステルを持っていて、それを運営していると誤解されているわけですが、実はそういったホステルに対するサポートを行なっているというのが正しい理解です。チャリティ団体としてホステルを運営しているわけではなくて、色々なホテル経営をしている人たちがいるので、チャリティ団体としてそれと競争するようなことは考えていません。

ホームレスの若者たちのために、その人たちが安全に住む場所、そして食べ物や衣類、そういったものが手に入るように、サポートするサービスを行なっているわけです。

YMCA は将来の生活をよくするための教育や健康を改善する行動、それがすべての若い人たちにとって、必要かつ有益なものであると考えています。身体、メンタル、セクシャルヘルスの面から、改善するための幅広いサービスを提供しています。例えば、その範囲は山登りや料理、クラミジアのテストなども含まれます。ということで、あらゆる面をカバーしています。

2,383 人の若者たちのサポート

ニューカッスルの中だけで、2014 年には 2,383 人の若者たちのサポートを行いました。ニューカッスルの推計人口 28 万 6,821 人（2013 年推計）の 1％弱に相当します。サポートしている若者たちの男女比率は 60％が男性、40％が女性です。イギリスでは女性の方が学校の成績は良いそうです。

仕事を見つけるプログラムには 70 人のサポートを受ける若者がいます。その人たちが仕事に就く職種というのはどんなものかとい

うと、販売、レジャーといった業界が多いです。パートタイムの仕事です。何故かというと、残った時間でカレッジに通っているからです。男女の比率はだいたい同じくらいということでした。

写真 9-9　Training & Education のスライド

もともとチャリティ団体だったのが社会的企業に移った一番重要な目的のひとつが、YMCA の運営資金を確保することです。運営資金を確保し、それを若い人たちのために使っているということで、社会的企業でそのボランティアの人たちが働いて起業的なスキルを身に付けることができることと、またそこから得た収入がその人たちのために使われていくことで、ほかのチャリティ団体からお金をもらわなくてもよくなるという利点がひとつあります。それからもうひとつが、コントラクトを地方行政と交わすことがあります。それをするとターゲットがあるので達成できなかった時の収入が入ってこないために、YMCA の運営が危機になるリスクが生じることがあります。なので、そのリスクを減らすことと、ファンドレージングのための労力やお金を減らすこともかねて、ここでお金を作って、それをスペース2で使って、若者のためのスキル形成がうまくまわっていくのが良いという考えです。

充実する生活にするための家族のサポートが必要だと考えています。YMCA は子どもと若い人たち、若い家族が経済的に独立した生活を送ったり、社会的に責任感のある大人になるための、そのスキルを身に付けたりするためのサポートをします。そのための、トレーニングと教育の部門があります（写真 9-9）。可能性を秘めた人たちの力を 100％引きだす、そういったトレーニングやエデュケーションをする必要があると考えています。プログラムの提供は 11 歳から 19 歳までの学校の教育以外のもの、また学校で受けられないトレーニングや就労以外のものを担当しています。

オルタナティブ・エデュケーション

オルタナティブ教育(Alternative education：代替教育)とは、特に幼児教育から中等教育の期間において、従来とは異なる新しい運営制度、進級制度、教育科目などを指します。多くは国や地方自治体の法律によらない私立校ですが、国や地方自治体の法律で認められている学校にもオルタナティブ教育に含まれるものがあります。

オルタナティブ・エデュケーションは、子どもや親が選択するのか、学校側からアクセスがあるのか。ニューカッスルには学校がひとつあります。普通の学校に通えない子どもたちが、そこに通っているそうです。そしてその子どもたちは、そこで勉強しているわけではありません。試験などは設けられていないそうです。スペース2がそこで行なっているカリキュラムを組みます。ですからその特別の学校の運営ではなくて、そこで行なっている企画をしているわけです。

学校の全部ではなくて一部を利用しています。そこに通う子どもたちというのはクラスでの授業が行えないので、授業形態が全く異なります。アクティビティを通じて学習していくということです。直接の学習ではなく、たとえば料理を教えるとします。レシピ本を読むこと、量ること、足し算引き算をすること、その工程中に学ぶわけです。ですから子どもたちは料理をしているつもりでいますが、実際は算数をやっているわけです。今日の科目を「算数」と書けば子どもたちは来ないからです。

オープンは午後3時

私たちの訪問時には、ジョブクラブとキャリアアドバイスがオープンしていました。そういったところに詰めている人たちと、マンツーマンでここに来た人たちは相談することができるわけです。ちょうどボランティアの人たちがリラックスしているところでした。スペース2の建物の中には自由に使えるビリヤードもありました(写真9-10)。

3時に学校の授業は終わります。3時になると多くの人が来るので、ボランティアがリラックスしていたのはそのためでした。3時前にはスペース2を開けないようにしています。それは、子どもた

写真9-10　ビリヤード

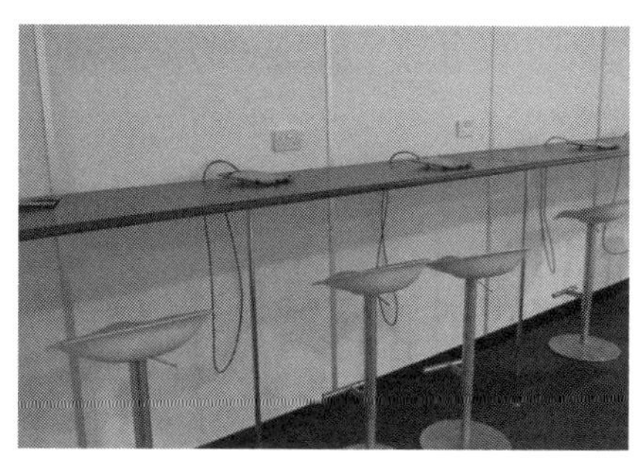
写真9-11　コンピュータールーム

ちは学校にいるべきだからです。私たちの訪問時には100人くらい子どもたちないし若者たちが来る予定でした。ビデオゲームのエックスボックスをしに来る子どもたちもいます。ダンスをしに来る子どもたちもいます。空いている部屋を使って勉強している子どもたちもいます。

自宅にコンピューターがないために、スペース2のコンピューターを使って宿題をするわけです（写真9-11）。学校の宿題は、多くがコンピューターを使わないとできないような内容になっていたりするのですが、両親がコンピューターを持っていない家庭も多いです。

極端な例を挙げれば、教材のほとんどがクラウド化されていたりします。ところがクラウドにアクセスするにはブロードバンドが必要です。そしてそういったブロードバンドに加入していない家庭も多いわけです。ということで、スペース2を利用することで学校の宿題に対応できます。

キャリア形成

たとえばファッションやアート、音楽など、子ども達の興味を引きそうなプロジェクトを多数用意しています（写真9-12）。それを通して身に付けられるスキルが次のキャリア形成に役立つ場合もあるわけです。

そして日本と違ってイギリスの履歴書というのは、どんなことをしたかとか、どんなものに興味を持っているかとか、けっこうパー

写真 9-12　Music Room

ソナルなことを書きます。いっぱい書いてあればあるほどいいです。そこにいっぱい書くことが増えるわけです。資格の欄に書くことが無く、履歴書も空白だったら、職を求めるのはまず不可能なわけです。なので、資格がなければこんなことやってきました、あんなことをやってきましたというような、資格の代わりになるような個人の物語があれば、まだチャンスが生まれるわけです。それが「千マイルの旅は一歩から始まる」のひとつです。スペース2は週に6日間開館しています。

注

1) 1844年に、ウィリアムズ, ジョージら教派を異にする12名のキリスト教青年によって、イギリス・ロンドンで、キリスト者に限らず青年層に対する啓蒙および生活改善事業のための奉仕組織として創立されました。また、1855年には、デュナン, アンリ（Dunant, Henri）によってパリでYMCA世界同盟が結成されました。活動理念の根幹にキリスト教精神を据えていますが、ボランティアおよびプログラムの参加者の信仰を規定してはいません。現在、120以上の国で活動しており、各地のYMCAは本部・支部の関係ではなく独立した組織であり、それらが国内同盟、世界同盟に加盟する組織形態を持っています。
2) 「Y.M.C.A.」とは、キリスト教青年会による若者のための宿泊施設のことを指します。男性のみが泊まれるユースホステルのようなドミトリー（相部屋）の部屋もあり、そのため「ゲイの巣窟」とされ、「Y.M.C.A.」はゲイを指すスラングでもあります。アメリカでは本来の目的に反しゲイが集まることが多かったようです。アメリカの同性愛ミュージシャングループVillage Peopleの原曲“YMCA”の真意は、キリスト教賛歌という訳ではありません。基本的に曲はゲイ応援歌で、「YMCAで素敵な(ゲイの)出会いを！」という主旨の歌でした。西城秀樹版の“ヤングマン”では、単純な青春賛歌としてカバーされたのでゲイ色はなく、唐突に歌われる「YMCA」の意味が不明瞭になっています。
3) ちなみに、1844年6月6日、ロンドンで12人の青年が集まり、YMCAは誕生しました。産業革命によって、工業・産業は発展する一方、物質至上主義による人間性の荒廃が蔓延する世情でした。とくに、少年期から労働者として働かされた青年たちの心はむしばまれていました。そんな中、ロンドンの一商店の店員であったウィリアムズ,ジョージと仲間たちは、イエス・キリストの教えに基づき、青年に対し、祈りと奉仕の活動を始めたのです。それが170年にわたるYMCAの始まりでした。

4）レイト（Rates）の起源は、1601年のエリザベス救貧法（Poor Relief Act 1601）により設けられた救貧法（Poor Rate）であると言われています。これは、各地域の主要教会を基準に設けられた教区（Parish）単位で行われた救貧事業の財源として、教区内の試算に対し救貧院が課税を行ったものです。以下、レイトについては、財務省財務総合政策研究所（2001）を参照されたい。

文献

財務省財務総合政策研究所「主要国の地方税財政制度（イギリス・ドイツ・フランス・アメリカ）」2001年6月。

補章　# 欧州のソーシャル・ファーム

——企業の社会参加：障害者に就業機会とビジネスの良い機会を——

はじめに

筆者は、2007年10月に東京で開催された、第34回国際福祉機器展 H.C.R.2007 国際シンポジウム（主催：全国社会福祉協議会 保険福祉広報協会）に参加する機会がありました。本章は、シンポジウムに招待されたオランダ（EU）・ユトレヒト教育専門大学ソーシャルワーク学部教授　ジャン・ピエール・ウィルケン氏の講演「企業の社会参加－障害者に就業機会を、ビジネスの良い機会を！」[1)] を参考に、筆者が執筆したものです。

氏の講演内容は、障害者の労働市場への参加ですが、そのポイントは、「Social Inclusion＝ソーシャル・インクルージョン」[2)] という概念です。そして、「Social Enterprises＝社会的企業」[3)] の特徴を把握し、社会的企業の代表的形態としての「Social Firms＝ソーシャル・ファーム」[4)] を理解することが重要です。

以下、ジャン・ピエール・ウィルケン氏の講演大要を紹介し、おわりに、筆者のコメントを述べることにします。尚、本章は、講演大要のため詳細を紹介できません。そこで、読者にわかりやすいように筆者が大幅な注を付けました。注は講演内容ではありませんので、章の最後に記述しました。

世界における実情

世界人口の約10％、あるいは6億5,000万人が障害をもって生活しています。世界最大のマイノリティです。世界の労働年齢人口のうち3億8,600万人に障害があります（ILOデータ）。EU欧州共同体では10人に1人が障害を持っています。オランダ人の170万人が身体障害者です。誰でも障害をもって生きていかざるを得ません。OECD加盟国では男性より女性のほうが障害をもっている人は多いのです。障害者は障害の差別と男女差別の二重の不利を受けています。

障害者就労率は、アメリカは35％です（障害のない人の就労率は78％）。欧州は35％未満です（障害のない人の就労率は70％）。オランダは40％です（障害のない人の就労率は76％）。一部の国々では、障害者の失業率が80％という高い割合に達しています[5]。このように、障害者の就労率は一般の就労率より低いのです。働きたいのに仕事がありません。オランダの調査では、働きたくても健康上の問題で働けない人は、障害が軽度の人の50％がいます。オランダでは「障害者を雇用しなさい」という法律があります。しかし、就労率は低下しました。

障害者を雇用することについて、間違った認識があります（表補-1）。オランダの調査では、雇用主も障害者を雇用したことに満足しています。障害者の退職率が低いことも事実です。障害者への偏見があるのは事実であり、障害者を雇用することができないことに目を向けるのではなく、できることに目を向けるべきです。誰もが差別なく社会参加できる社会をつくるためにバリアを排除すること

表補-1 認識について

間違った認識	正しい認識
障害者は働きたいと思っていません	未就労者の40％強が働きたいと思っています
障害者は働くことができません	適切な支援と調整が行われることにより、多数の人々が働くことができます
障害者は作業を行うことができません	他の労働者と同様に、スキルと労働環境がマッチしていれば、障害者も作業を十分に行うことができます
障害者を雇用すると、多額の費用がかかります	多数の国々で賃金補償対策が導入されています
	米国における調整：施設コストはわずか500ドル以下；経営者の73％が、従業者は、特別な施設を全く必要としていないと回答しています
	障害者を雇用することは費用効果の面で優れています

が不可欠です。障害者が労働に参加するためには障害者のための教育が必要です。しかし、それでも企業はコストの低い国に雇用をアウトソーシングしてしまうので、国内での障害者の就労が難しい状況があります。

2006年：ＥＵ障害行動計画

2006年EU障害行動計画の一部を紹介しましょう（表補-2)。

一般論では、「医療モデル」から「サポートモデル」に変化しています。介護が必要な人とみるのではなく、コミュニティに参加できる人とみます。ここ10年間で、障害があっても同じ権利をもち、同じサービスを受ける人という見方に変わってきています。Exclusion（排除する）から、Inclusion（参加してゆく）という見方に変わってきています。障害者を参加させるのに、政府は様々な装置を用意してきています。能力に関する認識を変えて、経営者が障害者を積極的に雇用することが大切です。EUでは2010年までに、障害者の雇用を61～70％まで高めようとする戦略をとっています。政府は、経済、社会的ケア、福祉面でもバリアは取り除いていくことになりました。彼らの生産力、労働力は活用されていません。オランダの場合、65歳以上の高齢化率は15％となり、障害者の就労を引き上げなければ労働者が不足することになります。就労の機会をすべての市民に与えなければならないことになっています。

表補-2　2006年：EU障害行動計画（抜粋）

「雇用は、就労年齢にある全市民の社会参加（ソーシャルインクルージョン）と経済的自立のための重要な要素である。」 「労働市場への参加を阻む全てのバリアに対処するため、就労率の引き上げ政策は、障害者の就労の可能性に基づいて多様化された包括的なものでなければならない。」 「障害者の雇用状況を改善することは、障害者の利益となるばかりでなく、雇用者および社会的全体の利益となるのである。」 「職業ガイダンス及び支援は、最適な活動を決定する場合、ならびに訓練の必要性や将来の職業について指導する場合に重要な役割を果たしている。」 「障害者が、アセスメント、職業ガイダンス、訓練を受け、自己の能力を確実に発揮できるようにしなければならない。」

しかし、依然としてバリアはあります。例えば、

①障害者の能力に対する認識の欠如

②障害者の雇用促進の目的で経営者に与えられるインセンティブの欠如

③障害者の権利についての認識の欠如と理解の不足

④制度的な非効率性の欠如、組織レベルにおける参加・協力体制の欠如

⑤高い失業率

⑥教育の欠如

⑦低賃金の国々との競争

⑧予算制限

⑨企業の社会的責任の欠如

などが挙げられます。

さらに、EUとして障害者を雇用するための具体的な政策を次にみてみましょう。

EU障害者雇用政策

まず、障害者の雇用に関する問題を、一般の雇用政策に組み入れること（メインストリーミング）です。

次に、障害者が個人レベルにおける客観的アセスメントを受けることができるようにすることです。この種のアセスメントでは、①将来の職業についての選択肢を特定すること、②評価対象を障害から個人の能力に移行し、能力を一定の職業条件と関係付けること、③職業訓練プログラムのための基礎が提供されること、④適切な就職口または再就職口を見つけ出すための支援が提供されること、が必要です。

3番目は、障害者が、最高水準とされる職業ガイダンス、訓練、就職関連サービスを確実に受けることが出来るようにし、必要に応じて適切な調整を行うことです。

4番目に、キャリア昇進と関連する全ての対策に加え、選択および募集を含む就職の全段階において、障害者を差別から確実に保護することです。

5番目に、経営者が障害者を積極的に雇用するようにはたらきか

けすることです。具体的な方法は、①障害者に就労の機会を確実に提供できる採用方法（広告、面接、アセスメント、選択）を導入すること、②障害がある従業員の特別な要望に対応するため、職場や作業条件（テレコミューティング、パートタイム勤務、在宅勤務等の導入）を適切に調整すること、③適切な研修を実施することにより、幹部社員やスタッフ側の障害者に対する認識を高めることです。

6番目に、障害者が一般の自営業を計画することへのアクセスを可能にし、障害者への支援を確保することです。

7番目に、開放された労働市場において、個人的な支援なしではニーズが満たされない人々を対象に、（授産施設などの）保護雇用あるいは支援付き雇用等の援助策を導入することです。

8番目に、障害者が、（授産施設などの）保護・支援付き雇用から一般雇用に移行できるように支援すること（例えば、コーチングなどの適切な支援）です。

9番目に、障害給付制度下で就労を阻害している要因を撤去し、受給者に対して、可能な場合には就職するようにはたらきかけることです。

10番目に、女性の雇用における機会均等と関連するプログラムや政策を考案する場合、障害をもち女性のニーズ（保育を含む）を考慮することです。

11番目に、雇用状況に関する相談、労働組合への加入および活動への積極的な参加については、一般従業員と同一の権利が障害者にも確保されることです。

12番目に、政府は、障害者の雇用を促進するための有効な対策を制定することです。

13番目に、健康と安全に関する法律および規定は、障害者のニーズを含めたものとし、障害者を差別しないことです。

14番目に、労災で障害者となった人々が労働市場への継続的な参加を可能にする対策（法律制定、統合管理）を推進することです。

15番目に、とくに若年障害者が、スキルを積むための職場でのインターシップや研修制度、あるいは就職関連資料を通して有用な経験／情報を確実に入手できるようにすることです。

以上が、2006年から開始されたEU行動計画のなかの障害者雇

表補-3 欧州7カ国で実施中の対策と有効性評価（1）

対策	実施国の数	有効性評価
登録規定	5	3
割り当て・課徴金制度	4	–
保護雇用	7	5
支援付き雇用	7	3
賃金助成制度	7	3
解雇に対する保護制度	6	1
自営業	6	2

（資料）De Greef,2005 調査対象国：フランス、ドイツ、オランダ、ポーランド、スペイン、スウェーデン、英国。ドイツについては、有効性データが入手されていない。

用政策の15項目です。

次に、欧州7カ国で実施されている対策について、実施している国の数と有効性評価についてみてみましょう（表補-3）。

例えば、表補-3の上から2番目に「割り当て」という対策があります。これは、「企業の全雇用者の2%は障害者を雇用すること」とするとします。この対策を実施している国は4カ国ありますが、有効性を評価している国はゼロです[6)]。イギリスではすでにこの対策は廃止されました。

図補-1は、欧州7カ国調査から、総人口に占める保護雇用下の労働者の割合を示したものです。保護雇用とは、授産所施設の利用者とソーシャル・ファームでの雇用です。

この図からは、最も高いオランダでさえ0.6%強ですから、障害者の保護雇用割合がいかに少ないかがわかります。そして、スペインやイギリスなどの国では、労働者割合が最も低く取り組みが遅れていることがわかります。このように、欧州7カ国においても取り組みに温度差があります。

さらに、欧州7カ国調査から、実施中の対策実施国数と有効性の評価をみてみましょう（表補-4）。

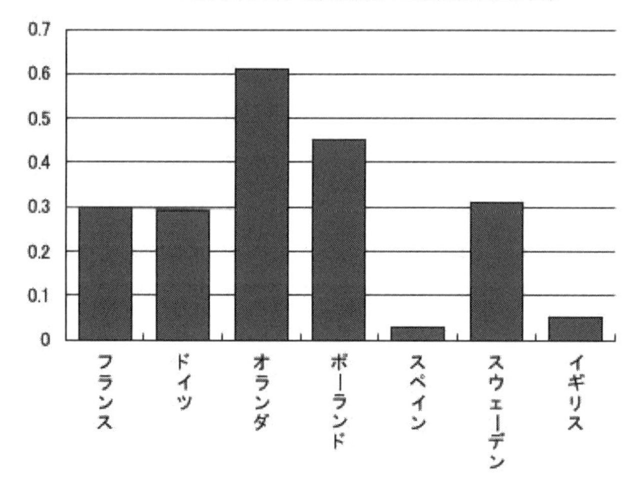

図補-1　欧州７カ国の保護雇用の状況

表補-4　欧州７カ国の実施中の対策と有効性評価（2）

対策	実施国の数	有効性評価
職場適応	7	4
経営者に対する税制上の優遇措置	3	2
障害者に対する税制上の優遇措置	2	1
受動的政策	7	1
説得的政策	7	4
機会均等	7	3
反差別	7	4

（資料）De Greef,2005 調査対象国：フランス、ドイツ、オランダ、ポーランド、スペイン、スウェーデン、英国。ドイツについては、有効性データが入手されていない。

例えば、表補-4の下から３番目の「説得的政策」には、ソーシャル・インクルージョンの啓蒙も有効な手立てのひとつと考えられています。そして、上から２番目と３番目の「経営者に対する税制上の優遇措置」や「障害者に対する税制上の優遇措置」を実施している国はまだ少ない状況です。

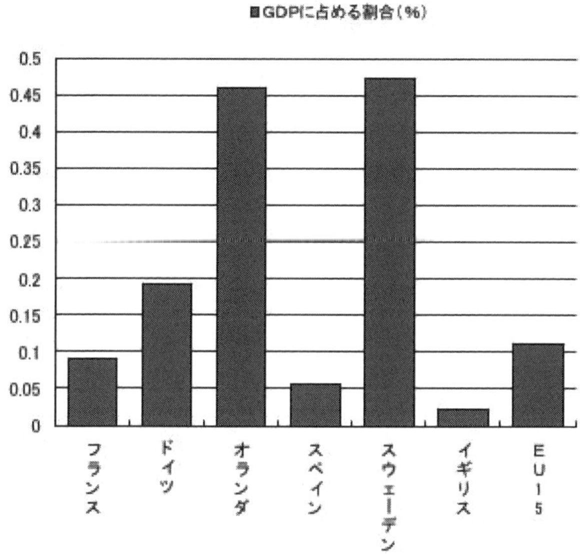

図補-2　障害者の統合のための積極的対策に伴う労働市場政策への支出

それでは、障害者の統合のための積極的対策に伴う労働市場政策への支出を図補-2からみてみましょう。

どれほどお金を使ってもよいことになっているのですが、図補-2からわかるように、各国の取り組みにはやはり温度差があることがわかります。

雇用機会を増大するための最近の取り組みと社会的企業

ここ5～6年間で、多くの企業は、企業の社会的責任として社会的活動に取り組むことを認識しています。

そして、雇用機会を増大するための最近の取り組みとして、第一に社会的企業政策が挙げられます[7)]。例えば、社員にはボランティア活動への参加が認められました。ひと月のうち1日は、病院や福祉施設などで、ボランティア活動をすることを補償されました。第二に、保健&社会福祉機関が就労プロジェクトを開始しました。第三に、小規模自営業の創設が挙げられます。これは、何千人という

図補-3　社会的企業のイメージ

障害者が企業を自ら立ち上げて成功している例があります。例えばアメリカでは、障害者が自営業の小規模会社を立ち上げて自立しています。第四に、社会的企業及びソーシャル・ファームの創設です。ソーシャル・ファームでは、概念として、障害者と健常者がいっしょに働くことに特徴があります。

社会的企業とは、企業志向であること、社会的目的をもっていること、利益は社会的目的の達成のために再投資されること、社会的所有、が特徴です（図補-3参照）。

社会的企業は、社員、ユーザー、地域投資家、理事など役員等の利害関係者と資本を共有しながらコミュニティへの再投資をします。イギリスにおける社会的企業[8)]は少なくとも5,000社以上あるといわれていますが、ヨーロッパ全体ではこのような社会的企業は数十万社にのぼるといわれています。ここが肝要ですが、社会的企業は取り引きビジネスとして行なって利益を追求するのです。この点はNPOと違います。問題は「利益をどう使うか」なのです。ここがとても重要です。

社会的企業の歴史は実は長いです。1844年までさかのぼります。ロッジデールでは28ポンドずつ資金を集めてコープの先駆者となりました。現在、私たちは、コミュニティ企業の成長を目にしています。これらの企業は、貧困などの改善で成長しています。イギリスでは社会事業運動をひじょうに積極的に取り組んでいます[9]。利益を社会的に利用することが大事で、こうした企業は小さな企業から数千人の従業員を雇用している企業まであります。これらの企業では、ビジネス上の目標と社会的企業としての目標を統合しています。よく、財政的ボトムラインと環境的ボトムラインというのですが、二重に評価される場合が多いのです。

ソーシャル・ファームまたは「優遇されたビジネス」

ソーシャル・ファームは1970年代にイタリアで生まれました[10]。そして、欧州全体に拡がっていきました。社会的企業は大きな概念ですが、ソーシャル・ファームは具体的なものです。

ソーシャル・ファームの特徴は、第一に、障害者のために特別に創設された企業（ビジネス）だということです。第二に、重点がおかれるのは品質と作業能力です。第三に、従業員の33％以上が障害者または労働市場で不利な立場にある人々であることです。第四に、全ての労働者に対する公正な市場賃金の支払いは補償されなければなりません。第五に、補助金を受けない事業運営を行います。政府から最初は補助金を受けたとしても3年から5年で、補助金を受けない事業運営が行えるようにします。考え方として、補助金を受けないで自立してゆくということです。

例えば、ソーシャル・ファームの事例としては、イタリアのトリエステ協同組合があります。このソーシャル・ファームは、イタリアのトリエステで始められました[11]。1985年まで130人の雇用でしたが、2004年では1,400万ドル近くの事業高になり、市町村全てが清掃事業をトリステ協同組合に委託しています。トリエステ協同組合では、1994年から助成金をもらったのですが、10年後には完全に助成金はゼロになりました。イタリアでは、2004年には2,000社4万7,000人の雇用、2005年には8,000社8万人の雇用となっています。イタリアの次にドイツをみてみると、2008年には500社1万6,000人の雇用となっており、その半分が障害者です。アジアでは日本、韓国でソーシャル・ファームの事例があります[12]。東京では、障害者にもビジネスを学んで欲しいという考え方をもつスワンベーカリー[13]が有名です。東京近郊にあるやどかりの里[14]は、出版とコーヒーショップを行っています。全国社会的支援組織にはセルプ[15]があります。オランダでは、地域で食料品店がなくなろうとしたときに、ソーシャル・ファームをつくり、地方の食料品店を支援していくことにしました。ですから、店員もお店を利用する人たちもみんな特別な人たちです。ソーシャル・ファームは、資本集約的な企業にすることが重要です。品質が良いことも重要です。そして、一定の規模がないと経営は難しいのです。とくに、医療の支援などはひじょうに大事です。

そこで、ソーシャル・ファームの成功要因をみてみましょう。

①「一般のビジネス」であること
②ビジネスを支援する法律・政策があること
③適切なニッチ市場の発見があること
④訴求力のある「社会資本」(社会資本に貢献するということ)
⑤高品質の製品／サービスであること
⑥多様な製品／サービスであること
⑦地方自治体との連携
⑧社会／保健制度との連携
⑨障害者と非障害者とで構成された労働力
⑩支援可能な労働環境
⑪安定した労働条件（1週間の労働時間：20～25時間）
⑫訓練の機会の提供

などが挙げられるでしょう。

結論

普通の企業では、罹病率が高かったり離職率が高かったりしますが、ソーシャルファームでは仕事に対する従業員の満足度は高いので、こういった傾向は少ないのです。

したがってソーシャル・ファームでは、「社会参加」の促進により、①障害者が各自の能力を生かして社会に貢献できる機会が増大します。②快適な環境で働くことが可能です。③医療費を削減することも可能です。そして、④仕事満足度が上昇します。

以上のように、障害者の労働への積極的な参加は、人道的にも経済的にも価値あることです。

おわりに

以上、ジャン・ピエール・ウィルケン氏の講演の大要を紹介しましたが、氏の講演からわかるように、ヨーロッパでは、少なくとも日本より約30年以上先んじて、障害者などの社会的弱者の労働市場への参加が進められてきました。とくに、現在では、EU全体として目標値を掲げて取り組まれていることが最大の特徴です。日本では21世紀になって、やっとソーシャル・インクルージョンの研究が始まったばかりです。

筆者はフロアからウィルケン氏に、「協同組合はソーシャル・ファームなのか」を質問しました。かえってきた答えは、「会員によって組織された企業の特定の形態でありソーシャル・ファームの一つである」ということでした。調べてみると、イタリアのソーシャル・ファームは社会的協同組合が多いことがわかりました[16)]。現在、日本でも農協や生協などの協同組合が福祉サービスや医療サービスを会員外に提供しているという実際があります。我々が行っている事業は、紛れもなく「社会的企業」としての役割であると考えます。ただし、ソーシャル・ファームであるのかどうかは不確かといわざるを得ません。今後の日本社会における協同組合の役割との関係でも、欧州の社会的企業、そして、ソーシャル・ファームの動向に注目することはひじょうに重要であると考えます。

尚、本章は、当日の講演が写真撮影、録音などは一切禁止されていた関係もあって、ウィルケン氏のパワーポイントと日本語同時通訳を聞いた筆者のメモを中心に構成されています。したがって、メモの書き違いや意味の取り違いなどの間違いは検証することはできません。本章での間違いはすべて筆者の責任であり、主催者や講演者には関係ないことを申し添えておきます。

注

1) ジャン・ピエール・ウィルケン（2007）。
2) まず、ソーシャル・インクルージョン（Social Inclusion：社会的包摂）という考え方が浮上してきた背景をみてみましょう。本章では、以下、様々な福祉理念を体系的に整理し、とりわけソーシャル・インクルージョンと最も関係が強いワークフェア（一般に福祉の目的を就労の拡大におき、同時に福祉の受給条件として就労を求める考え方）を検討するために、宮本太郎（2006）を参考に検討してみます〔宮本太郎のワークフェアに関する他の文献は、宮本（2002）、宮本（2004a：215-233）、及び宮本（2004b：211-215）を参照〕。
　サッチャー政権、レーガン政権が相次いで成立し、新保守主義が台頭した1980年代に、福祉国家の未来を憂える者に希望をもたらしたのは福祉国家レジーム論でした。市場主義の圧力が強まる中で、エスピン－アンデルセン（Gøsta Esping-Andersen）は、福祉国家を市場、政府、家族が独自のかたちで連携したレジームとしてとらえ、それを自由主義、保守主義、社会民主主義という三つの類型に区分しました。アングロサクソン諸国を中心とした自由主義レジームで福祉国家への反乱が起きても、北欧の社会民主主義レジームは中間層からの支持も得て発展しています。選択肢は多様である、というのが福祉国家レジーム論のメッセージでもありました〔Gøsta Esping-anderusen, 1990.（エスピン・アンデルセン著／岡沢憲芙・宮本太郎監訳（2001）〕。
　グローバルな市場競争の拡大と脱工業化が進展し、少子高齢化とも相まって、福祉国家を支えるリソースが縮減しています。現在のところ、こうした変化はそのまま福祉国家の規模縮小に結びついてはいません（例えば、Denis Bouget, 2004）。リスク構造の転換がすすみ、公的な支援を求める新しい福祉圧力さえ生み出されているからです（Peter Taylor-Gooby, 2004）。しかし、「所得再分配中心で、ニーズ決定型の福祉国家」は、このリスク構造の転換に応えきれません。第一に進行するのは、リスクの普遍化です。20世紀の福祉国家には、安定した雇用と家族が与件として組み込まれていました。ところが、労働市場の変容と家族の揺らぎのなかで、この与件がもはや維持できなくなってきました。第二に、リスクの階層化も進展します。より正確にいえば、リスクへの対応力の階層化です（Pierre Rosanvallon, 2000：16-17）。新しい社会的リスクにさらされるという点では、労働市場の中心部にいる中間層も不安定就業層も同じです。しかしながら、中間層の場合は私的保険や民間の介護、育児サービス等を購入してリスクに対処することが可能です。にもかかわらず、ここで公的福祉が周辺層に対象を限定して選別的に対応するならば、中間層の反発は強まります。なぜならば、中間層は自らも新しい社会的リスクに晒されているのみならず、公的な福祉の財政負担を行っているからです。第三に進行するのは、リスクの個別化です。リスクの普遍化と併せて個別化がすすむというのは矛盾するようですが、ここでいう個別化とは、人々が直面するリスクの具体的な現れ方が、一人ひとり大きく異なることを指します。かつて典型的ライフサイクルから抽出される典型的なリスクは、同質性が高く、共通の対処が可能でした。ところが、新しい社会的リスクは当事者ごとに多様な結びつき方をし、異なった現れ方をします。若者の就労が困難となっている背景には、技術革新の問題、家族の問題、人種や言語の問題が複雑に絡み合っている可能性があります。ここでは、個別のケースに応じて当事者に近いところで、総合的な対応を行っていく必要が生じます。

こうしたリスク構造転換のなかで、いかなる制度オプションが選択可能なのか。まず福祉の基本的な理念として、所得再分配に代えて社会的包摂(Social Inclusion) という考え方が浮上してきました。ここで社会的包摂というのは、社会的排除をうみだす諸要因を取り除き、人々の社会参加をすすめ、他の人々との相互的な関係を回復あるいは形成することを指します。この言葉は、1970年代のフランスで拡がり、EU社会政策の基本理念となると共に、イギリスなど欧州各国に伝播しました(社会的排除・包摂の概念をめぐる議論についてのレビュー的な論考のみを挙げると次になります。Michael Lipton, 1998; Jose B. Figueiredo and Aljan de Haan,1998; Koen Vleminckx and Jos Berghman, 2001.)。

次に、社会的包摂をめぐる対抗を宮本(2006)からみてみます。「所得再分配中心で、ニーズ決定型の福祉国家」に代えて、「社会的包摂中心で、ニーズ表出型の福祉ガバナンス」が浮上しています。しかしこれは選択可能なオプション群の総称であって、制度設計のあり方によって、その具体的内容は大きく異なったものとなります。まず社会的包摂をめぐる分岐から見れば、そもそもこの考え方は、思惑を異にする諸勢力の妥協枠組みとして浮上してきたものです。別々の勢力に担われたその異なったアプローチは、次の二つの軸で整理できます(一つの整理として、Hillary Silver, 1997)。まず、社会的包摂の実現のために公的な支援をどれだけ想定するか、という軸です。一方では、職業訓練や保育サービスなどをめぐる強力な支援は公的責任であるという立場があり、他方では、社会的排除は当事者のモラルハザードによるところが大きく、まず就労を迫るべきであるという発想があります。次に、社会的包摂といったとき、いかなる場への包摂を考えるかという軸です。これについては、労働市場への包摂と考えて就労規範を強めるか、あるいは、労働市場の外部における生活自立を重視し就労規範を弱めるかという二つの極があります。この二つの軸を組み合わせると図補-4のようになります。現行の福祉改革でまず浮かび上がっているのは垂直軸をめぐる対抗、すなわち第四象限を占めるワークフェアと第一象限のアクティベーションであり、この二つのアプローチをまず検討します。そしてベーシックインカムについては、水平軸が問題となってくる事情そのものの検討と併せて論じるべきすが、本章では紙幅の都合で省略します。

ワークフェアとは、労働市場への参入を包摂の基準としたうえで、どちらかといえば支援よりも強制や指導で就労へ導くアプローチです。このタイプの改革は、自由主義レジーム、とくにアメリカで進行しています。1960年代のアメリカでは、公民権法の実現と平行して、困窮層に焦点を当てた選別主義的な福祉政策が拡大しました。その一方で体系的な雇用政策

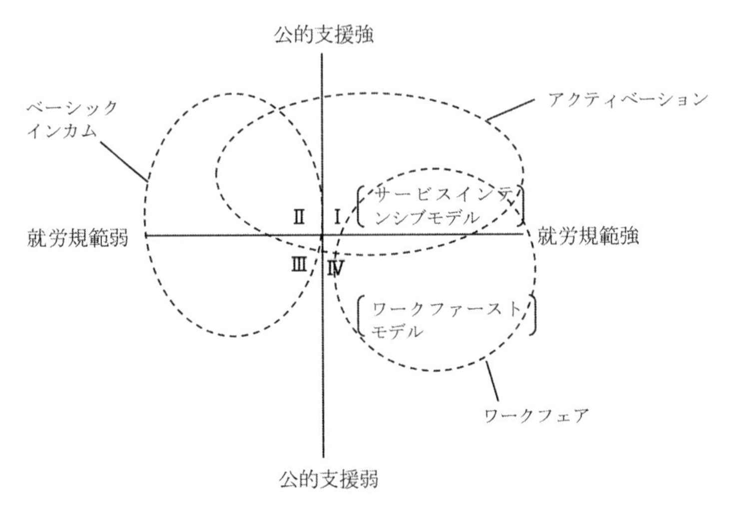

（出所）宮本太郎（2006）より作成。

図補-4　社会的包摂の諸アプローチ

は欠落していたために、公的扶養の受給者は増大し続け、その負担のみを強いられる中間層の反発が強まりました。こうしたなかでミード，ローレンス（Mead, Lawrence）は、問題は福祉が無条件に権利化されていることであるとして、ワークフェアへの移行を主張しました（Lawrence M. Mead, 1986：3-4）。すなわち福祉の受給にあたってワークテストを課して就労を義務づけることを提案しました。

これに対してエルウッド，デイヴィッド（Ellwood, David）は、同じく包摂の基準を就労に求めながらも、排除の背景として「サポートの貧困」を強調し、より支援を強めた形の包摂を打ち出しました（David T. Ellwood, 1986：3-4）。同じワークフェアでも、前者をワークファーストモデル、後者をサービスインテンシブモデルとして区別することもあります（Jamie Peck, 2001：90）。中間層の支持を失うことを恐れたクリントン民主党改革派は、エルウッドらのサービスインテンシブモデルに活路を求めました。1996年のAFDC（要扶養児童家族扶助）改革は、このワークフェアの二つの路線という様相を呈したのですが、最終的に導入されたTANF（貧困家庭一時扶養）は、受給期間を最長5年に制限し、受給者には週30時間以上の就労をさせることが州に求められるなど、ワークファーストモデルに近い改革でした（アメリカの96年の福祉改革をめぐる政治過程の分析として、Hugh Heclo, 2001）。

これに対してアクティベーションとは、ワークフェア同様に社会的包摂の場として労働市場を重視しつつも、強制よりも支援に重点を置く考え方です。広義にはワークフェアのサービスインテンシブモデルを含みますが、ここで支援はより体系的に手厚く展開される場合が多いのです。まずは就労可能性の向上で、職業訓練を中心とした積極的労働市場政策や生涯教育の展開がその柱となります。次に、税制上あるいは各種所得保障のあり方に関して、就労に向けたインセンティブをつくりだしていくことです。そして最後に、女性の労働市場参加を可能にする保育、介護サービスのように、就労条件の整備をおこなっていくことです。

以上、長くなりましたが、宮本の福祉ガバナンスの考え方から、ソーシャル・インクルージョンについての記述を紹介しました。次に、日本での取り組み状況とその背景について簡単にみておきます。日本で、ソーシャル・インクルージョンとは、社会から排除され孤立化されている人々を社会が当該社会の一員として包摂し自立生活を支援することを意味し、「社会的包摂」と訳されます。ノーマライゼーション理念を根底におき、ホームレス問題、児童虐待などの新たな社会問題の顕在化に対して新たに提起されてきました。実定法上は、社会福祉法第4条に明示された考え方が相当します（福祉士養成講座編集委員会編 2007：168。）。また、厚生省（現、厚生労働省）社会・援護局長の諮問機関「社会的援護を要する人々に対する社会福祉のあり方に関する検討会」の座長をつとめた、阿部志郎は、ソーシャル・インクルージョンの概念を次のように述べています。「ソーシャル・インクルージョンは、社会的排除（social exclusion）の反対の概念で、排除されている人々を包括し、多様な人々の社会に統合していくことを意味する。その点では、ノーマライゼーション、インテグレーションを超える総括的包括的理念といえるかもしれない」（仲村 優一・一番ヶ瀬康子他 2003：20）。また、参考として、厚生労働省社会援護局（2002）を参照してください。

国際的に見ると、ヨーロッパでは、1994年に開始された社会的排除に対する本格的な国際比較調査がヨーロッパ共同体世帯パネル調査によって、収斂傾向は大きく進展しました。所得状況や基本ニーズだけでなく、住居・教育・労働市場・健康・社会関係・社会参加など多面的指標の採用によって、社会的排除は、所得、労働市場における地位、金銭以外の社会的指標という3要素の組み合わせとして理解されるようになりました。さらに、合同調査の実施とともに、社会的排除はEU共通の政治的課題として取り上げあげられるようになっていきました。1999年のアムステルダム条約136条では、「社会的排除に対する戦い」がヨーロッパ社会政策の目標の一つとして明示されるに至り、さらに2000年12月のニーズ欧州理事会では、EU加盟国2カ年におよぶ「社会的排除に対する国別行動計画」の作成が義務づけられました。国民国家からEUへと舞台を移しながら、社会的排除アプローチはヨーロッパ共通の枠組みへと進化していきました（樋口明彦 2004）。及び、例えば、中村健吾（2002）、中島恵理（2005）など参照。尚、日本のソーシャル・インクルージョンの研究は、日本ソーシャルインクルージョン推進会議編（2007）、炭谷茂・大山博・細内信孝編（2004）、玉置好徳（2005）、及び、加山弾（2005）などを参照してください。

3） 2007年1月に日本障害者リハビリテーション協会ほか主催で開催した国際セミナーで講演した、ヴィッラ・ペルラ・セルヴィス副会長のマランザーナ, ジョヴァンナ（Maranzana , Giovanna）によれば、イタリアの場合、ソーシャル・エンタープライズは、営利を目的としていません。いわゆるサード・セクターと呼ばれ、いろいろな協会、財団、NGO、その他すべての非営利団体が活動をしています。ソーシャル・エンタープライズは、法律で認められた形は社会的協同組合です（日本障害者リハビリテーション協会（JSRPD）2007）。

また、田中夏子によれば、イタリアにおける「社会的経済」の呼称は、学問的出自によって多様であり、いわゆる「社会的経済」(economia sociale）は少なく、経済学においては「非営利セクター」(il terzo settore）が主流であると述べます（田中夏子 2004：56）。さらに、最近の第三セクター論の流れとは別に、1980年代初期より非営利・協同の市民運動に着目してきた社会学者P・ドナーティ(Donati）は、これを「社会的民」(private sosiale）と命名し、今日においても「第三」という呼称には「国家」と「市場」の残余としての意味合いが強いとして「社会的民」の視点の有効性を唱えます（Donati, P., 1996)。また、社会的協同組合の横断的連合組織CGM等の実践的陣営からは、「社会的企業」（impresa sociale）という呼称が多用されています。「社会的企業」は「社会的経済」と完全に一致する概念ではなく、後者の一部を構成する概念です。

また、英国のソーシャル・エンタープライズの定義は、次によります。

> **ソーシャル・エンタープライズとは、基本的に社会的な目的を持ったビジネスで、事業で得られた利益は、株主や事業主の利益を最大限に増やすためではなく、主にその社会的な目的のために、ビジネス或いはコミュニティに再投資される。ソーシャル・エンタープライズは、幅広い社会問題及び環境問題に取り組むことで、あらゆる経済分野に影響を及ぼす。ソーシャル・エンタープライズは、強力かつ持続可能な、そしてソーシャル・インクルージョンを実現する経済の創造において明確かつ重要な役割を果たす。社会企業は、多種多様であり、地方のコミュニティ・ビジネス、ソーシャル・ファーム、共同組合のような共済団体、国内および国外で活動する大規模な団体を含んでいる。社会企業に法的な基準はなく、有限会社、産業節約組合、株式会社を含み、非営利または公認慈善事業の団体もある**（英国貿易産業省 2002）

4）1997年のCEFEC（Confederation of European Firms, Employment Initiatives and Co-operatives：精神障害を持つ人の就労に関する欧州会議）による、ヨーロッパでのソーシャル・ファームの定義によれば、ソーシャル・ファームとは、障害者或いは労働市場で不利な立場にある人々のために、仕事を生み出し、また支援付き雇用の機会を提供することに焦点をおいたソーシャル・エンタープライズの一種です。

ソーシャル・ファームとは、障害者或いはその他の労働市場において不利な立場にある人々の雇用のためにつくられたビジネスです。

ソーシャル・ファームは、その社会的任務を遂行するために市場志向の商品の製造およびサービスを提供するビジネスです。

ソーシャル・ファームに雇用されているかなりの数の人々は、障害或いはその他の労働市場において不利な立場にある人々です。

各労働者は、仕事に応じた賃金や給料を、市場の相場によって支払われます。

労働の機会は、不利な立場にある従業員と、不利な立場にはない従業員とに、平等に与えられます。

すべての従業員は、雇用に関して同等の権利と義務を持ちます。（日本障害者リハビリテーション協会（JSRPD）2007）

例えばイタリアでは、ソーシャル・ファームは、法律的に認められた社会的協同組合のことを指しています。社会的な目的を達成するために市場取引を目的とした、商業ビジネスを経緯するすべての企業は、通常、ソーシャル・エンタープライズとみなされます。イタリアの社会的協同組合の定義は次のようになります。

a）社会サービス、保健医療サービス、教育サービスを提供する協同組合（A型社会的協同組合と呼ばれ、一般的に労働者はソーシャル・ワーカー、医療労働者、専門家である）；

b）深刻な障碍を持った人たち、精神疾患を持った人たち、薬物依存、受刑者など、なかなか雇用されないいわゆる社会的に不利な立場の人々の労働統合を達成する目的をもって、民間の顧客や公共機関のための社会サービスとは異なる財の生産、サービスの提供（農業、工業、商業、その他のサービス活動）を行う協同組合（B型社会的協同組合と呼ばれる）。法的なその人たちの数は従事労働者の最低30％と決められている。

（中略）

381号法律はいくつかの種類の組合員資格、さまざまな種類のステークホルダーを認めている。

a）当該協同組合で活動を遂行し、そこから金銭的報酬を得る組合員（労働者、管理者、B型の場合には社会的に不利な立場の組合員と労働者）

b）当該協同組合が提供するサービスから直接恩恵を受ける組合員（高齢者、障碍者）

C）「個人的で内発的であり、いかなる収益目的もない自由な方法によって」当該協同組合のために自発的に仕事をする組合員。この組合員の構成比率は全労働人口の50％を超えてはならない。

d）資金提供組合員および公共団体

（出所：Renate Goergen著／岡安喜三郎訳『イタリアの社会的協同組合：その発展と「社会的フランチャイジング・ネットワーク」の挑戦～協同組合と就労に関する国連専門家会議へのレテーナさんの報告～』。）

他に、B型の社会的協同組合についての著作として、佐藤紘毅・伊藤由理子編（2006）を参照してください。

また、1997年のソーシャル・ファーム・ハンドブックによれば、英国においてはソーシャル・ファームの法的な仕組みに言及すると、選択肢があります。法的には慈善事業法人の商業部門としてあるいは公認慈善団体として有限会社を設立することができます。あるいは公認の協同組合を設立することができます。

ソーシャル・ファームは、1980年代にオランダ、ドイツおよびイタリアで始まりました。仕事を通じてのリハビリテーション、つまり職業リハビリテーションの延長として出現しました。福祉作業所との違いは、作業所は、社会的に保護された環境の中で仕事を提供しますが、ソーシャル・ファームは、それより更に進んで、市場の相場にあった賃金を得るために仕事を提供することにあります。

次に、ヨーロッパでのソーシャル・ファームの歴史（表補-5）と雇用実態（表補-6）を簡単に記述しておきます。

表補-5　ヨーロッパでのソーシャル・ファームの歴史

年	歴　史
1970年代	イタリアでの精神病院の開放 イタリアトリエステでの初めての社会的協同組合（social co-operative）設立
1980年代	ドイツでのソーシャル・ファーム設立 Leros島の精神病院の脱施設化活動開始後ギリシャのソーシャル・ファーム設立 欧州連合プログラムがソーシャル・ファームに注目 ソーシャル・ファームの全国組織設立（ドイツ）
1990年代	イギリスでのソーシャル・ファーム設立 ソーシャル・ファームの全国組織設立（イギリス）
1991年	イタリア；社会的協同組合関連法制定 "Italian Law on social cooperatives: Law 381/91"
2000年	ドイツ；ソーシャル・ファーム関連法制定 "SGB Ⅳ (Sozialgesetzbuch Ⅳ）"
2002年	ギリシャ；社会的協同組合関連法制定 " LAW 2716/99(SCLR）"
2004年	フィンランド；ソーシャル・ファーム関連法制定 "Finish Act on Social Firms　1/1/2004"

（出所）日本障害者リハビリテーション協会（JSRPD）（2007）より作成。

表補-6　ヨーロッパでのソーシャル・ファームの雇用実態

国名	ソーシャル・ファーム数（箇所）	雇用者数（人） 障害者の割合（%）	売り上げ（ユーロ）
Italy	8,000	60,000 40	6億（83億円）
Germany	700	22,000 50	5億（69億円）
UK	80	500 50	3,000万（4億円）

（資料）Italy: IRES（Istituto di Ricerche Econmiche e Sociali), 2003調査。Germany: German National Association fo Integration Offices, 2005年10月調査。UK: social firms UK, 2005年調査。
（出所）日本障害者リハビリテーション協会（JSRPD）（2006）、講演1関連資料より作成。

5) 日本の障害者は、厚生労働省の区分で三つに分類されています。身体障害者、知的障害者（かつては精神薄弱者と呼ばれていましたが、法律が代わり、この呼び方も失礼だということで名称が変わりました）、そして精神障害者（分裂症やアルコール中毒などの方々）、以上を総称して障害者と呼んでいます。厚生労働省の資料『障害者の雇用促進のために――事業主と障害者の雇用ガイド 平成14年度版』をもとに実数を挙げると、身体障害者が約325万人（2001年）、知的障害者が約45万9,000人（2000年）、精神障害者が約204万人（1999年）となっていて計約5,749万9,000人、日本人の人口の5%近くが障害者というわけです。こうした障害者のうち5人以上の常用労働者を雇用している民間の事業所で恒常的に雇用されている人は、身体障害者で約39万6,000人（1998年）、知的障害者で約6万9,000人（1998年）、計約46万5,000人が正規の仕事に就いている計算です。身体障害者と知的障害者の総計が370万9,000人なので、約12.5%が働いていることになります。

主に障害者が働いている作業所の数をみておきます（表補-7）。

表補-7 日本の作業所の数（単位：カ所）

年	小規模作業所	授産施設（通所施設のみ）
1997	4,441	1,029
1998	4,847	1,134
1999	5,202	1,522
2000	5,566	－

（資料）共同作業所全国連絡会調べ。

無認可の小規模作業所は、一般企業での就労が困難な障害者のための働く場として誕生し、1970年代以降、全国的な広がりをみせてきました。ただし、2000年の5,566カ所という数字は、地方自治体が補助金の対象としている小規模作業所のみをカウントしたもので、補助金の恩恵を被っていない予備軍も多いと見られています。小規模作業所の呼称については、そのほか、共同作業所、福祉作業所などがあります。一カ所あたりの利用者の障害種別では精神障害が最も多く40.6%、次に知的障害で39.3%、肢体不自由（身体障害）が16.4%となっています。一方、認可施設である通所授産施設は全国におよそ1,522カ所あります。障害種別の内訳は知的障害が57%と群を抜いており、身体障害は31.5%、精神障害が6.6%にとどまっています。精神障害者を対象とした通所授産施設はまだ歴史が浅く、整備が遅れており、これを小規模作業所が支えているのが現状です。また授産施設に入れなかった重度障害者を小規模作業所が受け入れている現状もあります。共作連（共同作業所全国連絡会）の調査結果（1997年）によれば、作業所の作業内容で最も多いのは「自主製品の生産」（32.6%）で、次いで企業などから下請けする紙加工袋詰め、箱詰めなどの「簡易加工作業」（27.2%）、そして廃品回収、古紙やアルミ缶の回収などの「リサイクル作業」（15.1%）と続きます。自主的な主なものは、工芸、縫製、食品、木工、陶芸などです。これをバザーなどのイベント販売で、地域住民を対象に販売して収入を確保しています。自主製品の年間売り上げを見てみると、小規模作業所では半分近くが50万円未満、授産施設では半分近くが200万円未満となっています。

こうした作業所の財政状況をみてみると、表補-8のようになります。

表補-8　小規模作業所と通所授産施設に支払われる公費

小規模作業所に支払われる公費
国からの補助金均一110万円
＋
地方自治体からの補助金平均1,040万円
合計1,150万円

通所授産施設に支払われる公費
（年間、定員20人で試算）

身体障害	3,534万2,160円
知的障害	5,062万6,560円
精神障害	2,432万8,920円

（資料）共同作業所全国連絡会調べ。
（出所）建野友保（2001：84）。

小規模作業所に対する公費は、国からのものと地方自治体からのものを机上で合算すると年間1,150万円程度になりますが、地方自治体からの補助金は最も高い東京都の1,919万円から大分県の110万円まで、地域によって大きな較差があります。また、国からの補助金110万円も5,500カ所以上ある小規模作業所のうち5割弱にしか行き渡っていません。このため、障害者のみならず小規模作業所の職員の給料も低いです。給料が10万円以下の職員も多く、休日・深夜のアルバイトで収入を補っている人もいます。一方、授産施設の場合は上記の通りですが、これは運営費のみで、別途、施設整備費や設備整備費の補助があり、建物や設備面で良好な環境を整えることができます。職員への給料は地方公務員のみです。このため、小規模作業所の多くが、社会福祉法人を設立して、授産施設を運営したいと考えています。作業所の会計は、運営会計と作業会計に分けられます。運営会計における収入は公費が主で、ここから職員の人件費や作業所の維持費などが捻出されます。作業会計における収入は作業収益や自主製品の販売益が主で、ここから作業に必要な経費を引いた残額が利用者（障害者）の給料に割り当てられます。通所授産施設ではこうした会計の仕組みが行政指導されており、一般的に、無認可の小規模作業所でもこれにならった会計方式を採っています。つまり、授産施設、小規模作業所とも、公費が届くのは施設やそこで働く職員までで、利用者（障害者）にまで届きません。障害者への給料を上げるには、作業会計における収入を増やすしか方法がないといえるでしょう。

小規模作業所と通所授産施設の財政基盤の大きな開きを埋める制度が2001年度から施行され、新たに「小規模授産施設」という社会福祉施設が生まれることになりました。まず、小規模通所授産施設の経営を目的とする社会福祉法人の設立に関する新たな基準が設けられ、資産要件は1,000万円（従来の社会福祉法人は1億円）以上に緩和されました。ただし、小規模作業所として5年以上（条件によっては3年以上）の実績が必要です。小規模通所授産施設については、定員が10～19名でよく（従来の通所授産施設は20名以上）、障害者種別の混在も認められます。補助金は年間1,100万円で、これを国が半分、都道府県と市町村が4分の1ずつを負担します。これまで、国と地方自治体からの補助金が合計で1,000万円に満たなかった地域を中心に、多くの小規模作業所が名乗りを上げると見られていました。全国市町村のなかで、通所授産施設も小規模作業所もない市町村が4割程度あります。こうした「空白地域」で、3年後、5年後の小規模通所授産施設設置をめざして、一から小規模作業所を発足する動きが加速するかもしれません。

6) 日本の場合では、障害者の一般雇用を促す法律に「障害者雇用促進法（障害者の雇用の促進等に関する法律）」があり、このなかで、官公庁や民間企業は一定割合以上の障害者を雇用しなければならないと定められています。これは「法定雇用率」です。現在は従業員のうち1.8%（国、地方公共団体は2.1%）以上の障害者の雇用が法的義務となっています。しかし、民間企業での雇用実績は低調で1999年6月現在の実雇用率は1.49%にとどまっており、昨今の不景気によって障害者が真っ先に解雇されている現状もうかがえます（表補-9)。法的義務はあっても罰則規定がなく、従業員300人以上の企業の法定雇用率に満たない場合、一人当たり月額5万円の納付金が徴収されるのみです。「金を払えばとがめなし」の仕組みが雇用促進法の抜け穴になっているとの指摘もあります。労働省や外郭団体である日本障害者雇用促進協会では、障害者を雇用する事業主を対象に、障害者への賃金の一部を支給する助成金や、職場環境整備に要する費用の助成、税制上の優遇措置などを設け、雇用率のアップに懸命となっています。法定雇用率が適用されているのは従業員数56名以上の企業のみで、うち55.3%が法定雇用率をクリアできていません。とくに大企業になればなるほど雇用率が低下し、従業員1,000人以上の企業では実に77%が法定雇用率の未達成企業となっています。大企業の雇用率アップに効果を示しているといわれているのが、特例子会社方式です。これは障害者を主に雇用の対象とした子会社を作った場合、そこで雇用された障害者の人数が親会社の雇用率にカウントされるというものです。障害者に適した仕事環境が整えられる反面、障害者と健常者の職場を分けてしまうやり方であると見ることもできます。なお「障害者雇用促進法」は長らく、身体障害者のみを対象とした「身体障害者雇用促進法」の時代があり、1997年の法改正でようやく知的障害者も対象に入りました。精神障害者は依然として雇用促進の対象に入っておらず、今後の課題となっています。

表補-9　一般民間企業における障害者雇用状況（単位：%）

企業規模（常用労働者数）	雇用率実績	法定雇用率未達成企業の割合
56～99人	1.72	51.0
100～299人	1.41	63.4
300～499人	1.39	62.0
500～999人	1.44	70.2
1000人以上	1.52	77.0
合計	1.49	55.3

（資料）労働省職業安定局資料（1999年6月1日現在）より。

また関連して、養護学校高等部卒業生の行き先をみてみましょう（表補-10）。

表補-10　盲・ろう・養護学校高等部卒業生の進路（単位：%）

		進学者	就労者	その他	合計
盲学校		47.2	15.5	37.3	100.0
ろう学校		43.8	37.8	18.4	100.0
養護学校		1.2	26.7	72.1	100.0
内訳	知的障害	1.0	30.8	68.2	100.0
	肢体不自由	1.2	10.1	88.7	100.0
	病弱	8.0	12.2	79.8	100.0

（資料）総理府『平成11年版　障害者白書』（1998年3月卒業者）より作成。

健常児と障害児が一緒に教育を受ける統合教育を望む声は多いものの、今の日本では別学（分離）教育が基本となっています。障害児のための義務教育の場としては、肢体不自由児や知的障害児のための盲学校、聴覚障害者のための聾学校といった「特殊教育諸学校」と、普通学校での「特殊学級」があります。中学を卒業した後の進路は進学が大多数ですが、普通学校へ進学できる人は少なく、むしろ義務教育までは普通学校に通っていたものの、高校段階から盲・聾・養護学校の高等部に通う場合のほうが多いのです。表補-10に示したものは盲・聾・養護学校の高等部卒業生の進路で、盲・聾学校の卒業生は大学や専攻科への進学率が高いです。養護学校の卒業生だけをピックアップすると進学率は1%余りに低下し、一般企業や団体への就職率も低いです。進学でも就職でもない「その他」の卒業生は、無職のまま過ごすか、そのどちらでもない隙間である作業所がその一部を引き受けていると見ることができます。

7) Carlo Borzaga and Jacques Defourny, 2001.〔C. ボルサガ・J. ドゥフルニ編／内山哲郎・石塚秀雄・柳沢敏勝訳（2004）〕に、EU諸国の社会的企業が詳しく紹介されているので参照してください。及び、谷本寛治編（2006）を参照してください。

8) イギリスの社会的企業についての詳細は、中川雄一郎（2007）を参照してください。

9) 例えば、西山志保(2006)を参照してください。
10) 詳細は、『協同の発見』「イタリアの社会的協同組合」No.172、2006年11月、pp.26-43、及び、カルロ・ボルツァーガ/モニカ・ロス「イタリアにおける就労支援社会的企業」『協同の発見』No.172、2006年11月、pp.44-57、参照してください。表補-11に、タイプ別・地域別に見た社会的協同組合の生産力を掲載し、表補-12に、就労支援のための社会的協同組合を掲載しました。

表補-11 タイプ別・地域別に見た社会的協同組合の生産力：2001年～2003年

(単位：千ユーロ)

	2001年			2003年		
型・地域	生産力	構成比(%)	平均収入	生産力	構成比(%)	平均収入
A型	2,615,102	66.7	802	2,583,640	64.4	770
B型	812,779	20.7	445	936,740	21.1	473
混合型(A+B)	92,640	2.4	399	155,770	3.5	626
コンソルツィオ	398,456	10.2	2,023	486,782	11	2,173
合計	3,918,977	100	711	4,432,932	100	720
北西部	1,414,780	36.1	862	1,549,986	35	947
北東部	1,197,987	30.6	1,047	1,206,515	27.2	936
中部	751,524	19.2	759	978,417	22.1	792
南部	554,686	14.2	319	698,014	15.7	349
イタリア全土	3,918,977	100	711	4,432,932	100	720

(出所)『協同の発見』No.172、2006年11月号、p.35。

表補-12 就労支援のための社会的協同組合：1993年～1998年

	1993	1994	1995	1996	1997	1998	1999	2000
協同組合数	287	518	705	754	1,463	1,787	1,787	1,915
年成長率(%)		80.5	36.1	6.9	39.3	22.1	22.1	7.2
雇用総数	4,501	7,115	9,837	11,165	23,104	28,079	28,079	32,939
年成長率(%)		58.1	38.3	13.5	43.8	21.5	21.5	17.3
雇用された不利益労働者	1,675	3,204	4,686	5,414	11,319	12,310	12,310	13,569
年成長率(%)		91.3	46.2	15.54	54.5	8.8	8.8	10.2
協同組合の従業員	15.7	13.7	13.9	14.8	15.8	15.7	15.7	17.2
不利益労働者	5.8	6.2	6.6	7.2	7.7	6.9	6.9	7.1
全労働者に占める不利益労働者(%)	37.2	45	47.6	48.5	49	43.8	43.8	41.2

(出所)『協同の発見』No.172、2006年11月号、p.52から筆者作成。

その他では、日本障害者リハビリテーション協会(JSRPD)(2007)でのマランザーナ,ジョヴァンナ「講演1:イタリアのソーシャル・ファームの現状とソーシャル・ファームの支援」を参照して下さい。

11) カトリックの伝統の強い北東部のイタリア都市の一つ、旧ユーゴスラビアとの国境に近いトリエステでは、1970年代、フランコ・バザーリア等、精神科医による閉鎖型精神病棟廃止運動が展開されました。精神病を患う人々を閉鎖病棟で隔離的管理から開放して地域社会の中で支えようとするこの運動の中で、地域での生活と就労を支援するための中間施設の重要性が高まり、その担い手として多くの社会的協同組合が生み出されました。かつての、鉄格子の入った寒々としたトリエステの閉鎖病棟は、現在、協同組合はじめ非営利団体の共同事務所となっています（田中夏子 2004：71-72)。また、石川信義（1990：126-152)、には、イタリアの精神医療改革の中心となったF・バザーリアの運動が紹介されています。

12) 韓国では、「社会的企業育成法」が2006年12月8日に国会を通過し、2007年1月3日公布、2007年7月1日施行されました。「第1条（目的）この法律は社会的企業を支援して、わが社会に十分に供給されていない社会サービスを拡充し、新しい就労を創出することにより、社会統合と国民の質の向上に寄与することを目的とする。」詳しくは、協同総合研究所（2006年9月：5-22)、協同総合研究所（2006年10月：26-46)、協同総合研究所（2006年11月：4-25、26-43)、厳兄植（2006)、岡安喜三郎（2007)、五石敬路（2007）などを参照してください。

13) スワンベーカリー（http://www.swanbakery.jp/swan/index.html#).（障害のある人もない人も、共に働き、共に生きていく社会の実現。このノーマライゼーションの理念を実現させるために故・小倉理事長がヤマト福祉財団、ヤマト運輸株式会社と共に設立した株式会社です)。より詳しくは、建野友保（2001：87-106)、及び、小倉昌男（2003：73-83）を参照してください。

14) やどかりの里（http://www.yadokarinosato.org/).（社団法人やどかりの里は、精神障害（主に慢性の統合失調症）をもつ人たちが、地域で安心して暮らしていくために必要な生活にかかわる支援活動を推進するとともに、出版や研修、研究事業を通して、精神障害者の福祉の向上と地域における精神保健福祉の推進と普及を目的に設立された非営利の民間団体（公益法人）です。

15) 全国社会就労センター協議会/SELP(セルプ)（http://www.selp.or.jp/selp/).（1995年6月14日より、セルプ協では、授産施設に変わる新しい名称として、「社会就労センター/SELP(セルプ)」と改称しました。セルプというのは、英語のSelf-Help「自助自立」から作られた造語です。障害者など社会的ハンデを持つ人たちを取りまく現在の社会的環境は、必ずしも満足できるものではありません。その中でも、自分なりの働き方で社会に貢献しながら自分たちの生活を作り出す「自立」が、セルプの最大の目的です。現在、日本には約2,900のセルプがあります。ここでは、心身に障害のある人たちや、自立生活能力に障害のある人たちが、現在約9万人働いています。）

16) この後、筆者は「イタリアの社会的協同組合」についての著書を世に出すこととなりました。詳しくは、小磯明（2015）を参照してください。

文献・資料

Carlo Borzaga and Jacques Defourny, "The Emergence Social Enterprise" Routledge, a member of the Taylor & Francis Group, 2001.〔C. ボルサガ・J. ドゥフルニ編／内山哲郎・石塚秀雄・柳沢敏勝訳『社会的企業―雇用・福祉の EU サードセクター』日本経済評論社、2004 年。〕

David T. Ellwood, *Poor Support: Poverty in the American Family*, New York: The Free Press, 1986.

Denis Bouget, "Convergence in the Social Welfare Systems in Europe. From Goal to Reality", Peter Taylor-Gooby(ed.), *Making a European Welfare State?: Convergences and Conflicts over European Social Policy,* Oxford: Blackwell, 2004.

Donati, P.(a cura di), *Sociologia del terzo settore,* Carocci. Roma, 1996.

Gϕsta Esping-anderusen, *The Three World of Welfare Capitalism*, Cambridge: Polity Press, 1990.〔エスピン・アンデルセン著／岡沢憲芙・宮本太郎監訳『福祉資本主義の三つの世界―比較福祉国家の理論と動態』ミネルヴァ書房、2001 年。〕

German National Association fo Integration Offices, 2005.

Hillary Silver, "Reconceptualizing Social Disadvantage: Three Paradigms of Social Exclusion", Charles Gore and Jose B. Figueiredo(eds.), *Social Exclusion and Anti-Poverty Policy : a Debate,* Geneva: International Labor Organization, 1997.

Hugh Heclo, "The Politics of Welfare Reform", Rebecca M. Blank, Rom Haskins(eds.), *The New World of Welfare*, Washington, D.C.: Brookings Institution Oress, 2001.

IRES（Istituto di Ricerche Economiche e Sociali), 2003.

Jose B. Figueiredo and Aljan de Haan, "Central Issue in the Debate on Social Exclusion", J. Figueiredo and Charles Gore(eds.), *Social Exclusion: an ILO Perspective*, Geneva: International Laver organization, 1998.

Jamie Peck, *Workfare States,* New York: The Guilford Press, 2001.

Koen Vleminckx and Jos Berghman, "Social Exclusion and the Welfare State: an Overview of Conceptual Issues and Policy Implications", David G. Mayes, Jos Berghman, and Robert Salais(eds.), *Social Exclusion and European policy*, Cheltenham: Edward Elgar, 2001.

Lawrence M. Mead, Beyond Entitlement: *The Social Obligations of Citizenship*, New York: The Free Press, 1986.

Michael Lipton, "Selected Notes on the Concept of Social Exclusion", Jose B. Figueiredo and Charles Gore(eds.), *Social Exclusion: an ILO Perspective,* Geneva: International Laver organization, 1998.

Peter Taylor-Gooby, "New Risks and Social Change", Peter Taylor-Gooby (ed.), New Risks, *New Welfare: The Transformation of the European Welfare State*, New York: Oxford University Press, 2004.

Pierre Rosanvallon, *The New Social Question: Re-thinking the Welfare State,*

Princeton: Princeton University Press, 2000.
social firms UK, 2005.
石川信義『心病める人たち――開かれた精神医療へ』岩波新書 122、岩波書店、1990 年。
英国貿易産業省『社会企業――成功への戦略』2002 年。
岡安喜三郎「韓国の社会的企業法をめぐって」『協同の発見』No.177、2007 年 4 月、pp.60-72。
小倉昌男『福祉を変える経営――障害者の月給一万円からの脱出』日経 BP 社、2003 年。
カルロ・ボルツァーガ/モニカ・ロス「イタリアにおける就労支援社会的企業」『協同の発見』No.172、2006 年 11 月、pp.44-57。
加山弾「都市部における移住者集住地区を中心とする地域福祉の課題―― A 市 B 区における沖縄出身者のソーシャル・インクルージョンをめぐって――」日本地域福祉学会『日本の地域福祉』第 18 巻、2005 年、pp.15-24。
厳兄植「韓国での協同労働の発展――生産共同体から社会的企業に」協同総合研究所『協同の発見』No.173、2006 年 12 月、pp.41-44。
共同作業所全国連絡会(きょうされん)(www . kyosaren.or.jp).
協同総合研究所『協同の発見』「特集 韓国の社会的企業法案」No.170、2006 年 9 月、pp.5-22。
協同総合研究所『協同の発見』「イタリアの社会的協同組合」No.172、2006 年 11 月、pp.26-43。
協同総合研究所『協同の発見』「社会的就労活性化及び社会的企業発展方案研究(要約版)上・下」No.171、2006 年 10 月、pp.25-46、同No.172、2006 年 11 月、pp.4-25。
厚生労働省社会援護局『社会的な援護を必要とする人々に対する社会福祉のあり方に関する検討会報告書』2002 年。
厚生労働省『障害者の雇用促進のために――事業主と障害者の雇用ガイド 平成 14(2003)年度版』。
小磯明『イタリアの社会的協同組合』同時代社、2015 年。
五石敬路「社会的企業法の背景」協同総合研究所『協同の発見』No.177、2007 年 4 月、pp.73-82。
佐藤紘毅・伊藤由理子編『イタリアの社会的協同組合 B 型をたずねて』同時代社、2006 年。
ジャン・ピエール・ウィルケン「企業の社会参加――障害者に就業機会を、ビジネスの良い機会を!」第 34 回国際福祉機器展 HCR2007 国際シンポジウム『欧州にみるソーシャルファームの現状と課題――障害者の社会参加と就労について考える』全国社会福祉協議会・保健福祉広報協会、2007 年 10 月、pp.1-31。
炭谷茂・大山博・細内信孝編著『ソーシャル・インクルージョンと社会起業の役割――地域福祉計画推進のために』ぎょうせい、2004 年。
スワンベーカリー(http://www.swanbakery.jp/swan/index.html#).
全国社会就労センター協議会 /SELP(セルプ)(http://www.selp.or.jp/selp/).
総理府『平成 11 年版 障害者白書』。

建野友保『小倉昌男の福祉革命——障害者「月給一万円」からの脱出』小学館文庫、2001 年。
田中夏子『イタリア社会的経済の地域展開』日本経済評論社、2004 年。
谷本寛治編著『ソーシャル・エンタープライズ——社会的企業の台頭』中央経済新社、2006 年。
玉置好徳「地域におけるソーシャル・インクルージョンに関する実践的研究——支援困難事例に対する『ネットワーク——機能分析——』の試行」日本地域福祉学会『日本の地域福祉』第 18 巻、2005 年、pp.67-77。
中川雄一郎『社会的企業とコミュニティの再生 第 2 版——イギリスでの試みに学ぶ』大月書店、2007 年。
中村健吾「ＥＵにおける『社会的排除』への取り組み」国立社会保障・人口問題研究所『海外社会保障研究』No.141、2002 年 Winter、pp.56-66。
仲村 優一・一番ヶ瀬康子他編集代表『世界の社会福祉年鑑・2003』旬報社、2003 年。
中島恵理「EU・英国における社会的包摂とソーシャルエコノミー」法政大学大原社会問題研究所『大原社会問題研究所雑誌』No.561、2005 年 8 月、pp.12-28。
西山志保「『社会的企業』による最貧困地域の都市再生——ロンドン・イーストエンドの『環境トラスト』にみる新たなコミュニティ・ガバナンスの展開」東京市政調査会『都市問題』第 97 巻 3 号、2006 年 3 月、pp.100-108。
日本障害者リハビリテーション協会（JSRPD）『国際セミナー 「世界の障害者インクルージョン政策の動向」——ソーシャル・ファームの経営と障害支援活動——』2006 年。
日本障害者リハビリテーション協会（JSRPD）『国際セミナー報告書　各国のソーシャル・ファームに対する支援』2007 年（http://www.dinf.ne.jp/doc/japanese/conf/seminar20070128/kouen3_siryou.html）.
日本ソーシャルインクルージョン推進会議編『ソーシャル・インクルージョン——格差社会の処方箋』中央法規、2007 年。
樋口明彦「現代社会における社会的排除のメカニズム——積極的労働市場政策の内在的ジレンマをめぐって——」日本社会学会『社会学評論』55 巻 1 号、2004 年、pp.2-18。
福祉士養成講座編集委員会編『新版 地域福祉論』中央法規、2007 年。
マランザーナ，ジョヴァンナ「講演 1：イタリアのソーシャル・ファームの現状とソーシャル・ファームの支援」日本障害者リハビリテーション協会（JSRPD）『国際セミナー報告書　各国のソーシャル・ファームに対する支援』2007 年。
宮本太郎「社会民主主義の転換とワークフェア改革」日本政治学会編『三つのデモクラシー——自由民主主義・社会民主主義・キリスト教民主主義——』岩波書店、2002 年。
宮本太郎「就労・福祉・ワークフェア——福祉国家再編をめぐる新しい対立軸——」塩野谷祐一・鈴村興太郎・後藤玲子編『福祉の公共哲学』東京大学出版会、2004a 年、pp.215-233。
宮本太郎「福祉国家のゆくえ」『比較政治経済学』有斐閣アルマ、有斐閣、

2004b 年、pp.203-221。
宮本太郎「ポスト福祉国家のガバナンス　新しい政治対抗」『思想』983 号、岩波書店、2006 年 3 月、pp.27-47。
Renate Goergen 著／岡安喜三郎訳『イタリアの社会的協同組合：その発展と「社会的フランチィジング・ネットワーク」の挑戦～協同組合と就労に関する国連専門家会議へのレテーナさんの報告～』。
労働省職業安定局資料（1999 年 6 月 1 日現在）。
やどかりの里（http://www.yadokarinosato.org/）.

あとがき

世界中を新型コロナウイルス（Covid-19）が駆け巡っています。イギリスも例外ではなく、ジョンソン首相が感染したなどといった、ビッグニュースが世界中を駆け巡るほどです。その新型コロナウイルスに感染し、職務を離れていたジョンソン首相が4月27日、復帰しました。ジョンソン氏は首相官邸前で演説し、ウイルスの感染拡大は「英国が直面する戦後最大の試練である」と述べ、1カ月以上続く外出制限などに不満と不安を募らせる国民に忍耐を呼びかけました。ジョンソン氏は国内の現状について「ピークを迎えつつある。我々は流れを変え始めた」との認識を表明しました。その一方、「国民の努力と犠牲を無駄にすることも、第二の感染拡大の危険を冒すこともしない」と語り、市民生活や企業活動に対する制限の早期緩和に慎重な姿勢を示しました。ジョンソン氏は3月下旬に感染が判明して入院、一時は集中治療室に移りました。その後、回復して4月12日の退院後は、ロンドン郊外の別荘で療養していました。

さて、欧州連合（EU）を離脱したイギリスでは、EUと従来の関係が続く12月末までの「移行期間」の延長論が高まっています。新型コロナウイルスの感染拡大で、この間に予定されているイギリスとEU間の交渉も停滞しており、将来関係を巡る何の取り決めもないまま移行期間が終われば、イギリス経済に打撃となるためです。移行期間の貿易ルールなどを決めるイギリスとEU間の交渉は、3月上旬に第1回会合が開かれました。その後、イギリスとEU各国で感染が拡大し、3月中旬に予定されていた第2回会合は延期となりました。結局約1カ月遅れて4月20～24日にビデオ会議方式で行われましたが、双方の隔たりを浮き彫りにしました。EU側は、イギリス領海内の漁業権を引き続き求めましたが、「国境や法の支配の回復」を掲げるイギリスはこれを拒否しました。また、EU側が自由貿易協定（FTA）締結の前提として企業への補助金などの基準をEUに合わせるよう求めたことについても、イギリス政府は「独立国として離脱した事実を考慮していない」と批判しました。

交渉が決裂して貿易協定が結ばれないまま移行期間が終われば混

乱が予想されます。EUとイギリスがまとめた離脱協定案では、移行期間は最長で2022年末まで延ばすことができ、延長論が勢いを増しているのは、このためです。イギリスの世論調査会社が4月上旬に約2,800人を対象に実施した調査によると、移行期間延長への賛成は56%で、反対は27%でした。離脱派でさえも4割が延長に賛成しました。

イギリス政府は早期に移行期間を終わらせ、日米など他国との自由貿易を進めたい考えですが、イギリス政府政策研究所は「新型コロナによる混乱で大きな貿易協定は結べない。離脱により得るはずの恩恵は遅れる」として、延長は不可避だと指摘しています。

イギリスの与党・保守党は、2019年12月の総選挙で延長の拒否を公約して大勝しました。仮にジョンソン首相が延長を決めれば、EU予算への分担金の追加負担が生じ、国内の離脱派から猛反発が起きるのは確実で、政権は延長を一貫して拒否しています。党内強硬離脱派を代表するマーク・フランソワ下院議員のように「年末までに合意に至るための交渉時間はまだ十分にあり、延長の必要はない。最近の世論調査より、2019年末の総選挙の方が重要だ」との意見もあります。

イギリスのEU離脱は、まだまだどうなるか、その行方がわからない状況といえるでしょう。

本書は、2015年11月に訪問したロンドンとニューカッスルのサンダーランドの社会的企業の視察調査がもとになって執筆された著書です。私にとって、イギリス調査は2010年から5年間ほど、集中して行ってきた調査でした。最初は戸惑うことも多かったのですが、イギリスに関しては本書で何とか3冊の著書を世に出すことができました。視察先では、いろいろな方に本当にお世話になりました。多くの方の協力がなければ、本書が世にでることはありませんでした。そして、本書の第4章でも取り上げた、社会的企業アカウント3理事長のメレデュー,トニー（Meredew, Toni）さんとは、ロンドンの事務所訪問の時は不在で会えませんでしたが、2017年3月11日の中川雄一郎先生の退職記念パーティ（明治大学リバティホール）では、メレデューさんとアトゥシ,シェリファさんがロンドンから駆けつけて、トニーさんとは初めて会うことができました。そして、アトゥシさんとは嬉しい再会となりました。

序章でも述べましたが、本書は、2015年10月から11月にかけて行われた「イギリスの医療・福祉と社会的企業の視察と調査」が基本となって執筆されています。視察調査を企画していただきました、非営利・協同総合研究所いのちとくらし理事長の中川雄一郎先生にお礼申し上げます。そして、研究員の石塚秀雄先生と事務局長の竹野ユキコさんに感謝いたします。

そして初出一覧をみるとわかるように、第3章から第9章まで、2016年11月から2018年7月まで『文化連情報』誌に連載した原稿です。掲載いただきました日本文化厚生連と文化連情報編集部にお礼申し上げます。そして、「補章　欧州のソーシャル・ファーム」は、2008年11月26日、東京都中央区銀座でNPO法人ソーシャル・ビジネス研究会学習会講師として、私の報告時に参考資料として配布したフルペーパーです。ほとんど手を加えずにおさめていますので、少しデータが古いですが、お許しください。

最後に、『イギリスの認知症国家戦略』『イギリスの医療制度改革』に続く本書も、同時代社から出版されましたことに、川上隆社長にお礼申し上げます。

著　者

初出一覧

序　章　研究の目的と本書の概要
書き下ろし

第1章　社会的企業に関する研究
書き下ろし

第2章　イギリスの社会的企業政策の展開
書き下ろし

第3章　高齢者ケア　Age UK Lewisham and Southwark Stones End day Centre（ロンドン）
1　利用者の費用とアセスメント
（原題）「イギリスの社会的企業　Age UK Lewisham and Southwark Stone End day Centre(1) 利用者の費用とアセスメント」『文化連情報』No.482、2018年5月、pp.64-67。
2　アクティヴィティとスタッフ
（原題）「イギリスの社会的企業　Age UK Lewisham and Southwark Stone End day Centre(2) アクティヴィティとスタッフ」『文化連情報』No.483、2018年6月、pp.70-73。
3　デイセンターの運営
（原題）「イギリスの社会的企業　Age UK Lewisham and Southwark Stone End day Centre(3) デイセンターの運営」『文化連情報』No.484、2018年7月、pp.68-71。

第4章　女性のための社会的企業　Account3（ロンドン）
1　設立目的
（原題）「イギリスの社会的企業　女性のための社会的企業アカウント3（1）」『文化連情報』No.465、2016年11月号、pp.66-68。
2　プロジェクトとコース
（原題）「イギリスの社会的企業　女性のための社会的企業アカウント3（2）」『文化連情報』No.466、2017年1月号、pp.68-71。
3　社会的企業としての役割
（原題）「イギリスの社会的企業　女性のための社会的企業アカウント3（3）」『文化連情報』No.467、2017年2月号、pp.70-73。
4　東ロンドンの変化とアカウント3
（原題）「イギリスの社会的企業　女性のための社会的企業アカウント3（4）」『文化連情報』No.468、2017年3月号、pp.76-80。

第5章　住宅政策　社会的家主 Gentoo イングランド（サンダーランド市）
1　SHCA との連携

（原題）「イギリスの社会的企業　社会的家主：Gentoo（1）　SHCA との連携」『文化連情報』No.469、2017 年 4 月号、pp.70-73。

2　Gentoo が直面する課題

（原題）「イギリスの社会的企業　社会的家主：Gentoo（2）　直面する課題」『文化連情報』No.470、2017 年 5 月号、pp.64-67。

3　住宅を見る

（原題）「イギリスの社会的企業　社会的家主：Gentoo（3）　住宅を見る」『文化連情報』No.471、2017 年 6 月号、pp.64-67。

4　リビングウェイジとダイレクトペイメント

（原題）「イギリスの社会的企業　社会的家主：Gentoo（4）　リビングウェイジとダイレクトペイメント」『文化連情報』No.472、2017 年 7 月号、pp.78-81。

第 6 章　障害者就労支援　Flower Mill（サンダーランド市）

（原題）「イギリスの社会的企業　障害者就労支援：フラワーミル」『文化連情報』No.474、2017 年 9 月号、pp.90-93。

第 7 章　中間支援組織　SES（サンダーランド市）

（原題）「イギリスの社会的企業　Sustianable Enterprise Strategies」『文化連情報』No.481、2018 年 4 月、pp72-76。

第 8 章　若者の生活と教育の支援　The Box Youth Project（サンダーランド市）

1　組織と活動

（原題）「イギリスの社会的企業　若者就労支援：The Box Youth Project（1）組織と活動」『文化連情報』No.475、2017 年 10 月号、pp.64-66。

2　プログラムとプロジェクト

（原題）「イギリスの社会的企業　若者就労支援：The Box Youth Project（2）プログラムとプロジェクト」『文化連情報』No.476、2017 年 11 月号、pp.66-69。

3　課題

（原題）「イギリスの社会的企業　若者就労支援：The Box Youth Project（3）課題」『文化連情報』No.477、2017 年 12 月号、pp.58-61。

第 9 章　若者の就労支援と地域再生　SPACE2（ニューカッスル）

1　スペース 2 と YMCA

（原題）「イギリスの社会的企業　地域再生と若者支援：SPACE2（1）　スペース 2 と YMCA」『文化連情報』No.478、2018 年 1 月号、pp.60-63 。

2　地域の特徴と若者が抱える困難

（原題）「イギリスの社会的企業　地域再生と若者支援：SPACE2（2）地域の特徴と若者が抱える困難」『文化連情報』No.479、2018 年 2 月号、pp.64-67 。

補　章　欧州のソーシャル・ファーム

——企業の社会参加：障害者に就業機会とビジネスの良い機会を——

（2008 年 11 月 26 日、東京都中央区銀座で、ＮＰＯ法人ソーシャル・ビジネス研究会学習会講師として、報告時に参考資料としてフルペーパーを配布。）

事項索引

数字・アルファベット

あ行

か行

さ行

た行

な行

は行

ま行

や行

ら行

わ行

人名索引

あ行

か行

さ行

た行

な行

は行

ま行

や行

ら行

著者業績

《単書》

『地域と高齢者医療福祉』日本博士論文登録機構、雄松堂出版、2008年8月。

『地域と高齢者の医療福祉』御茶の水書房、2009年1月。

『医療機能分化と連携―地域と病院と医療連携』御茶の水書房、2013年4月。

『「論文を書く」ということ―憂鬱な知的作業のすすめ』御茶の水書房、2014年9月。

『ドイツのエネルギー協同組合』同時代社、2015年4月。

『イタリアの社会的協同組合』同時代社、2015年10月。

『高齢者医療と介護看護―住まいと地域ケア』御茶の水書房、2016年6月。

『イギリスの認知症国家戦略』同時代社、2017年1月。

『フランスの医療福祉改革』日本評論社、2019年4月。

『イギリスの医療制度改革―患者・市民の医療への参画』同時代社、2019年10月。

『公害病認定高齢者とコンビナート―倉敷市水島の環境再生』御茶の水書房、2020年6月。

《共著》

法政大学大原社会問題研究所編『社会労働大事典』旬報社、2011年2月。

平岡公一ほか監修・須田木綿子ほか編『研究道―学的探求の道案内』東信堂、2013年4月。

由井文江編『ダイバーシティ経営処方箋― 一からわかるダイバーシティ男・女・高齢者・障がい者・外国人 多様性を力に』全国労働基準関係団体連合会、2014年1月。

法政大学大原社会問題研究所・相田利雄編『大原社会問題研究所叢書：サステイナブルな地域と経済の構想―岡山県倉敷市を中心に』御茶の水書房、2016年2月。

高橋巌編『農協―協同のセーフティネットを創る』コモンズ、2017年12月。

日本文化厚生連年史編纂委員会編『日本文化厚生連七十年史』2018年9月。

《学会論文》
「医療計画と地域政策」日本地域政策学会『日本地域政策研究』第4号、2006年3月。
「急性期入院加算取得病院と地域特性調査による医療連携の分析—厚生連病院所在の第二次医療圏を対象とした遠隔医療導入の可能性」日本遠隔医療学会『日本遠隔医療学会雑誌』第2巻第2号、2006年9月。
「中山間地域の高齢者と在宅ケアについての研究」日本地域政策学会『日本地域政策研究』第6号、2008年3月。
「病院勤務医師不足の現状と対応についての研究—公的病院のアンケート分析から」日本医療福祉学会『医療福祉研究』第2号、2008年7月。
「過疎山村限界集落の高齢者と地域福祉に関する研究」日本地域政策学会『日本地域政策研究』第7号、2009年3月。
「有料老人ホームが終のすみかとなる可能性—東京都内ホームの経済的入居条件と保健医療の考察」日本保健医療学会『保健医療研究』第1号、2009年6月。
「高齢者の住まいと医療福祉に関する研究—有料老人ホームの制度等の変遷と経済的入居条件の考察」日本医療福祉学会『医療福祉研究』第3号、2009年6月。
「高齢者介護の地域格差に関する研究—首都圏・中部地方・大都市の介護力指数の比較」日本保健医療学会『保健医療研究』第2号、2010年2月。
「小規模・高齢化集落の高齢者と地域福祉」福祉社会学会『福祉社会学研究』第8号、2011年5月。
「地域福祉は住民のもの—協同組合・非営利組織の視点から」日本地域福祉学会『日本の地域福祉』第31巻、2018年3月。

《学会発表》
「医療機能分化と地域政策—入院医療連携加算取得病院の地域医療特性との関係性を中心に—」第4回日本地域政策学会全国研究（宮城）大会（宮城大学）、2005年7月。
「中山間地域の高齢者と医療福祉の課題—中部地方G県T市の介護保険サービス利用者の聴き取り調査から—」第6回日本地域政策学会全国研究（長野）大会（信州大学）、2007年7月。
「長野県泰阜村の高齢者の自立と地域社会に関する研究—過疎山村限界集落の高齢者と地域福祉（1）—」第7回日本地域政策学会全国研究（愛知）大会（愛知学院大学）、2008年7月。
「小規模・高齢化集落の高齢者と地域福祉 —長野県泰阜村の高齢者生

活調査から―」第9回福祉社会学会全国研究大会（九州大学）メインシンポジウムシンポジスト報告、2010年5月。
「小規模高齢化集落（限界集落）の 高齢者と地域コミュニティ ―長野県泰阜村Ｎ集落の高齢者生活調査から―」第9回日本地域政策学会全国研究（神奈川）大会（桜美林大学）、2010年8月。
"Japanese elderly care: policy shift from institutional care to home care", International Conference on Evidence-based Policy in Long-term Care, London School of Economics in England, September 2010, with Sanae Miyazawa.
「中国の公共政策パネル；中国の健康政策、及び、中国の公共政策にみる住宅政策の位置づけ」：討論者として登壇、第3回日本政治法律学会（国士舘大学）、2019年6月。
「シンポジウム『危機と政治・法律―新型コロナウィルス感染症の歴史的緊急事態指定を受けて」：討論者として登壇、第5回日本政治法律学会（オンライン）、2020年5月。

著者紹介

小　磯　　明（こいそ　あきら）

1960年生まれ
2008年3月　法政大学大学院政策科学研究科博士後期課程修了
　政策科学博士（法政大学）、専門社会調査士（社会調査協会）、医療メディエーター（日本医療メディエーター協会）
《現在》
株式会社カインズ代表取締役社長
法政大学現代福祉学部兼任講師（医療政策論、関係行政論）
法政大学大学院公共政策研究科兼任講師（社会調査法1、5、公共政策論文技法1）
法政大学大学院政策科学研究所特任研究員
法政大学地域研究センター客員研究員
法政大学大原社会問題研究所嘱託研究員
日本医療メディエーター協会首都圏支部理事
非営利・協同総合研究所いのちとくらし理事
公益財団法人政治経済研究所研究員
日本文化厚生農業協同組合連合会『文化連情報』編集部特任編集委員、ほか

イギリスの社会的企業と地域再生

2020 年 9 月 7 日　　初版第 1 刷発行

著　者　　小磯　明
発行者　　川上　隆
発行所　　株式会社同時代社
〒 101-0065　東京都千代田区西神田 2-7-6
電話 03(3261)3149　FAX 03(3261)3237
組　版　　有限会社閏月社
装　幀　　クリエイティブ・コンセプト
印　刷　　中央精版印刷株式会社
ISBN978-4-88683-881-0